똑 똑 한
하루
어휘

단계

NEW!

3
단계

A

3~4학년

160여 개의 어휘를 공부해요!

하루하루 공부할 어휘와 차례

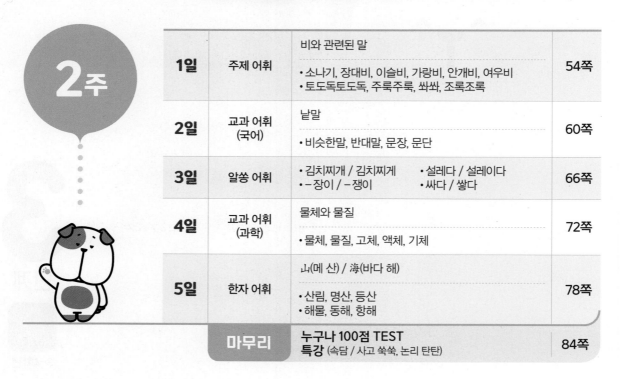

어휘 공부, 왜 중요할까요?

생각을 나타내는 게 말이에요.
생각을 할 때에도 말을 사용하지요. 말은 곧 생각이에요.

그런데 어휘는 말의 기본이에요.
어떤 뜻을 가지고 그것을 사용할 수 있는 가장 작은 단위가 어휘, 낱말이에요.
어휘는 말의 기본이므로, 어휘가 부족하면 생각을 나타내기 힘들어요.
마찬가지로 생각도 바르게 할 수 없어요.

어휘가 부족하면 생각도 자라지 않아요.
깊이 있는 생각은 풍부한 어휘력이 뒷받침해요.

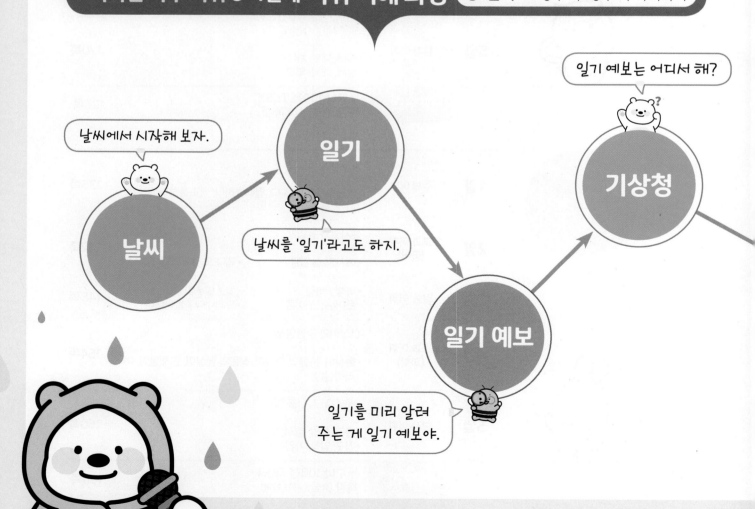

어휘 공부, 어떻게 해야 할까요?

어휘에는 '관계'가 있어요.
'책상'을 떠올리면 '의자'가 떠오르고, 책상과 의자가 어떻게 놓여 있는지 그림이 그려져요.
어휘는 '생각'이니까요.

책상과 의자가 있으니 '공부'를 하지요? 공부를 하는 것은 읽고, 쓰고, 배우는 것이고,
곧 공부라는 것이 무언가를 배우고 익힌다는 것과 비슷한 의미임을 알게 됩니다.
'책상'에서 시작해서 추상 어휘인 '공부'까지 꼬리를 물고 익히는 것.

똑똑한 하루 어휘는 이렇게 연상 어휘가 꼬리에 꼬리를 무는 학습 방법을 이용해서
아이들이 말의 감각을 키울 수 있게 하였어요.

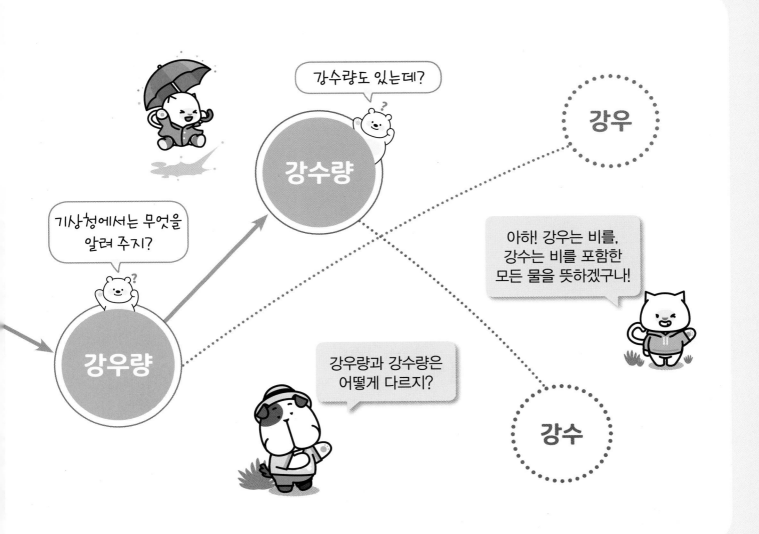

어떤 어휘를 배우나요?

똑똑한 하루 어휘는 크게 네 가지 성격의 어휘를 배워요. 일상에서 자주 쓰는 말, 평소에 헷갈리기 쉬운 말, 학교 공부에 꼭 필요한 말, 그리고 우리말의 대부분을 차지하는 한자어까지! 생각의 바탕을 이루는 어휘 감각을 **똑똑한 하루 어휘**로 키울 수 있어요!

• 재미있는 만화와 함께
  어휘를 공부해요!

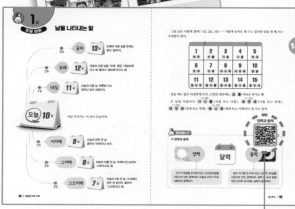

마인드맵

주제별 연상 어휘를
떠올리며 재미있게!

• 생활 속 어휘
• 자주 쓰지만 정확히
  모르는 어휘
• 말의 재미를 높여 주는
  어휘

QR코드로 더 자세히
공부할 수 있어요!

주제 어휘

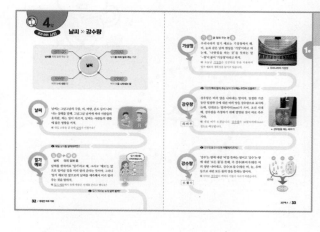

꼬리물기

쉬운 어휘부터 개념
어휘까지 꼬리물기
학습으로 쉽게 쉽게!

• 교과목 중요 어휘
• 국어 문법 관련 어휘
• 사회 • 과학 기초 어휘

교과 어휘
(국어 / 사회·과학)

똑똑한 하루 어휘를 함께할 친구들

고은아 　　　 다나 　　　 우리와 두리

냐냐냐 오옹~
무시하면 다치는
수가 있다냥~

기묘한 발명품 가게에 놀러와요!

고은 발명품 가게가 문을 열었어요. 겉으로 보기에는 평범하지만 안에 들어가면 생각지도 못한 엉뚱한 발명품이 잔뜩 있어요! 신기한 발명품 가게, 함께 들어가 볼까요?

알쏭 어휘

Q&A

헷갈리는 어휘에 대해 궁금한 점은 질문과 대답으로 한눈에!

- 헷갈리는 말
- 뜻에 따라 쓰임이 다른 말
- 잘못 표기하기 쉬운 말

한자 어휘

한자 쓰기

대표 한자와 연관 한자어를 통해 한자의 뜻과 쓰임이 머리에 쏙쏙!

- 자주 쓰는 한자 어휘
- 한자어의 감각을 익힐 수 있는 어휘

1일 주제 어휘 > 날을 나타내는 말

어제
그저께
그끄저께
내일
내일모레
글피
그글피

2일 교과 어휘 국어 > 재미있는 말

흉내 내는 말
반복되는 말
꾸며 주는 말

3일 알쏭 어휘 > 거꾸로 …

설거지 / 설겆이
거꾸로 / 꺼꾸로
조리다 / 졸이다
체 / 채

4일 교과 어휘 **사회** > 날씨와 관련된 말

일기 예보
기상청
강우량
강수량

5일 한자 어휘 > 火불화 水물수

화재
화력
소화기
냉수
온수
정수기

주제 어휘 1 날을 나타내는 말

다음 달력을 보고 빈칸을 채우세요.

일	월	화	수	목
12일	**13**일	**14**일	**15**일	**16**일

(1) ◯ ← 어제 ← 오늘 → 내일 → (2) ◯

교과 어휘 2 [국어] 흉내 내는 말

그림과 어울리는 흉내 내는 말을 보기 에서 찾아 쓰세요.

보기
살금살금
방긋방긋
살랑살랑

(1)

(2)

(3)

교과 어휘
3
[사회] 날씨와 관련된 말

다음 네 가지 힌트가 가리키는 말을 골라 ○표를 하세요.

| 아나운서 | 날씨 | 비·눈 | 온도 |

| 연예인 | 달력 | 그림자 | 일기 예보 |

한자 어휘
4
火 불 화 水 물 수

다음 ○에 공통으로 들어갈 글자를 쓰세요.

○영   냉○   정○기

날을 나타내는 말

오늘의 어휘

어제 / 그저께 / 그끄저께

어제는 오늘의 전 날, 그저께는 어제의 전 날, 그끄저께는 그저께의 전 날.

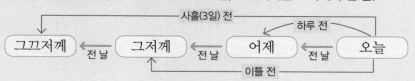

1주

오늘의 어휘

내일 / 모레 / 글피

내일은 오늘의 다음 날, 모레는 내일의 다음 날, 글피는 모레의 다음 날.

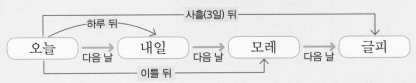

날을 나타내는 말

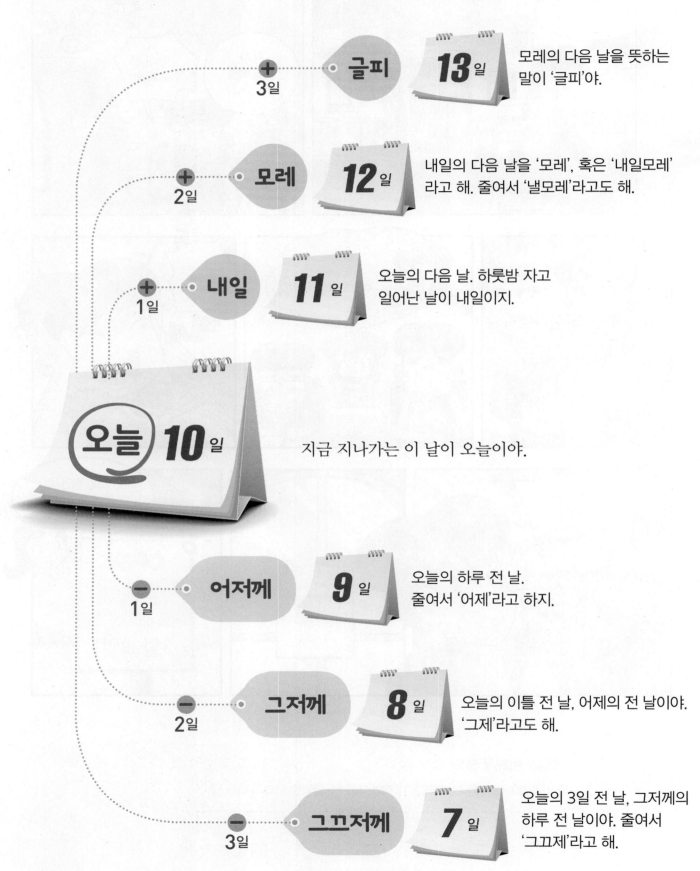

+3일 글피 **13**일 — 모레의 다음 날을 뜻하는 말이 '글피'야.

+2일 모레 **12**일 — 내일의 다음 날을 '모레', 혹은 '내일모레' 라고 해. 줄여서 '낼모레'라고도 해.

+1일 내일 **11**일 — 오늘의 다음 날. 하룻밤 자고 일어난 날이 내일이지.

오늘 **10**일 — 지금 지나가는 이 날이 오늘이야.

-1일 어저께 **9**일 — 오늘의 하루 전 날. 줄여서 '어제'라고 하지.

-2일 그저께 **8**일 — 오늘의 이틀 전 날, 어제의 전 날이야. '그제'라고도 해.

-3일 그끄저께 **7**일 — 오늘의 3일 전 날, 그저께의 하루 전 날이야. 줄여서 '그끄제'라고 해.

그럼 날은 어떻게 셀까? 1일, 2일, 3일…… 이렇게 숫자로 셀 수도 있지만 날을 셀 때 쓰는 우리말이 있어.

1 하 루	**2** 이 틀	**3** 사 흘	**4** 나 흘	**5** 닷 새
6 엿 새	**7** 이 레	**8** 여 드 레	**9** 아 흐 레	**10** 열 흘
11 열 하 루	**12** 열 이 틀	**13** 열 사 흘	**14** 열 나 흘	**15** 열 닷 새

날을 세는 말은 다양하게 쓰여. 15일인 열닷새는 **보 름** 이라고 하기도 해.

두 날을 아울러서 **사 나 흘** (사흘 또는 나흘)[3~4일], **네 댓 새** (나흘 또는 닷새)[4~5일],

대 엿 새 (닷새 또는 엿새)[5~6일], **예 니 레** (엿새 또는 이레)[6~7일]라고 할 수도 있어.

🐰 **들어봤니?**

양력과 음력

⚙ 양력과 음력

양력

지구가 태양을 한 바퀴 도는 시간(365일)을 기준으로 만든 달력이야. 오늘날 우리가 주로 사용하는 달력이지.

달력

음력

달이 지구를 한 바퀴 도는 시간(약 30일)을 기준으로 만든 달력이야. 달력 큰 숫자 밑에 작은 숫자로 표시되는 날짜가 음력이야.

1 보기 와 같이 날을 세는 말을 쓰시오.

보기

1일
↓
하루

(1) 2일
↓
☐

(2) 3일
↓
☐

(3) 4일
↓
☐

(4) 5일
↓
☐

2 ㉠에 들어갈 말로 알맞지 <u>않은</u> 것을 두 가지 고르시오. ⋯⋯⋯⋯ (,   )

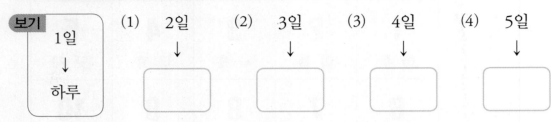

그저께 ←₋₁일— 어제 ←₋₁일— 오늘 —₊₁일→ 내일 —₊₁일→ ㉠

① 글피   ② 모레   ③ 그끄제   ④ 낼모레   ⑤ 내일모레

3 '열닷새'의 다른 말은 무엇입니까? ⋯⋯⋯⋯⋯⋯⋯⋯⋯⋯⋯⋯⋯⋯⋯ (   )

① 열흘   ② 닷새   ③ 보름   ④ 하루   ⑤ 스무날

4 '네댓새'의 뜻으로 알맞은 것은 무엇입니까? ⋯⋯⋯⋯⋯⋯⋯⋯⋯⋯⋯⋯ (   )

① 사흘 또는 나흘

② 나흘 또는 닷새

③ 닷새 또는 엿새

④ 엿새 또는 이레

⑤ 이레 또는 여드레

5 탐험가가 보물 지도를 찾았습니다. 질문에 알맞은 답을 찾아 가며 보물 상자가 있는 곳까지 길을 그려 보시오.

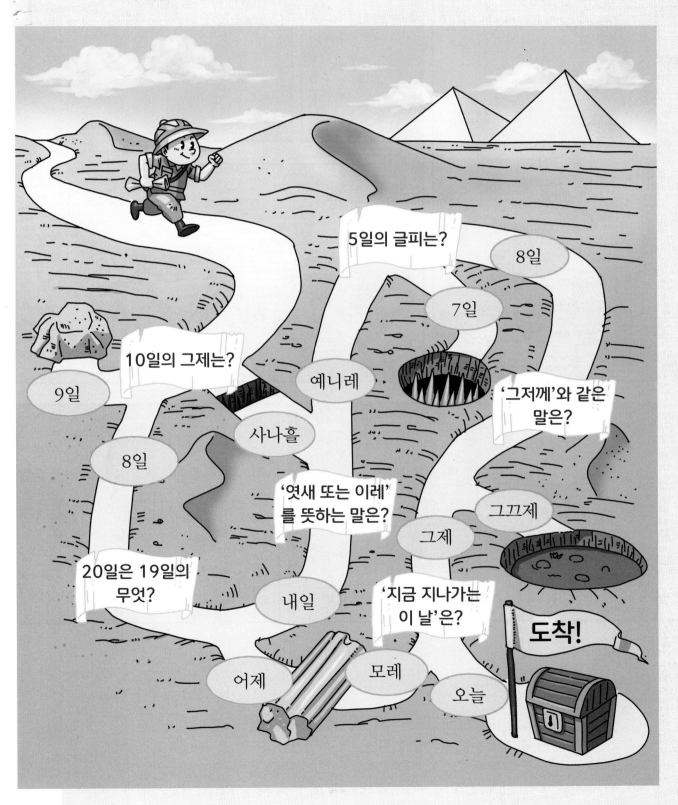

재미있는 말

오늘의 어휘

흉내 내는 말
소리나 모양을 말로써 비슷하게 흉내 내어 주는 말.

예 깡충깡충, 뭉게뭉게, 덜컹덜컹, 개굴개굴, 꿈틀꿈틀, 퐁당퐁당

▲ 참새 울음 소리를 흉내 내는 말

오늘의 어휘

꾸며 주는 말

뒤에 오는 말을 꾸며 주어 그 뜻을 보다 자세하게 해 주는 말.

예 빨간 장미 / 착한 어린이 / 부드러운 솜사탕 / 재미있게 놀아요.

흉내 내는 말 » 꾸며 주는 말

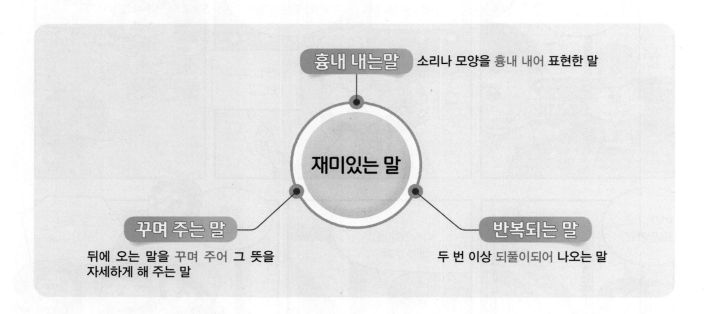

흉내 내는 말 소리나 모양을 흉내 내어 표현한 말

재미있는 말

꾸며 주는 말
뒤에 오는 말을 꾸며 주어 그 뜻을
자세하게 해 주는 말

반복되는 말
두 번 이상 되풀이되어 나오는 말

흉내 내는 말

소리나 모양을 흉 내 내어 나타내는 말

'멍멍', '주렁주렁'과 같이 소리나 모양을 표현한 말을 흉내 내는 말이라고 해. 움직이는 모습이나 소리를 재미있게 나타내는 말을 뜻하지. 흉내 내는 말을 사용하면 소리나 모양을 더욱 실감 나게 나타낼 수 있어.

예 <u>딸랑딸랑</u> 방울 소리가 들려.

반짝반짝
: 별이 빛나는 모양

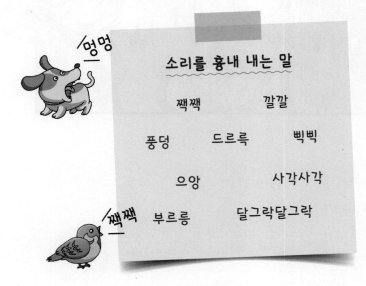

소리를 흉내 내는 말		
짹짹	깔깔	
풍덩	드르륵	삑삑
으앙		사각사각
부르릉	달그락달그락	

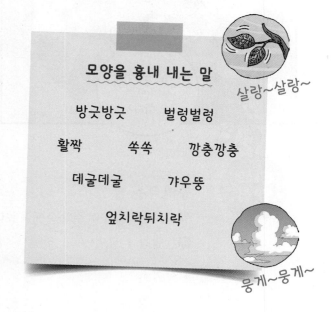

모양을 흉내 내는 말		
방긋방긋	벌렁벌렁	
활짝	쏙쏙	깡충깡충
데굴데굴	갸우뚱	
엎치락뒤치락		

살랑~살랑~

뭉게~뭉게~

반복 되는 말

같은 말이 반 복 되 는 말

같은 말이 두 번 이상 되풀이되어 나오는 말을 '반복되는 말'이라고 해. 주로 시나 노랫말에 많이 쓰이지. 글에 반복되는 말을 넣으면 리듬감이 들어서 더 재미있어.

비가 내려요
주룩주룩
하늘에도
주룩주룩
거리에도
주룩주룩
└→ 반복되는 말

'주룩주룩'이
반복되니까
노래하는 것 같아!

꾸며 주는 말

꾸며 주는 말

뒤에 오는 말을 꾸 며 주 는 말

'꾸며 주는 말'은 뒤에 오는 말을 자세하게 해 주는 말이야. 흉내 내는 말도 꾸며 주는 말이 될 수 있지.
'넓은', '맛있는', '누렇게'는 뒤에 오는 파란색 낱말을 꾸며 주는 말이야.

넓은 들판에 맛있는 곡식이 누렇게 익어 간다.

나무에 빨간 사과가 열렸습니다.

커다란 나무에 빨간 사과가 열렸습니다.

커다란 나무에 빨간 사과가 주렁주렁 열렸습니다.

1 다음 중 파도가 치는 소리나 모양을 흉내 내는 말은 어느 것입니까?⋯⋯⋯⋯(   )

① 깡충깡충   ② 데굴데굴   ③ 보글보글

④ 사각사각   ⑤ 철썩철썩

2 다음 문장에 어울리는 흉내 내는 말을 보기 에서 찾아 쓰시오.

보기				
으앙	활짝	쏙쏙	갸우뚱	달그락

(1) 누나는 창문을 ☐ ☐ 열어 놓았다.

(2) 젓가락이 서로 부딪쳐 ☐ ☐ ☐ 소리를 냈다.

(3) 아이가 화단에서 잡초를 ☐ ☐ 뽑아내고 있다.

3 다음 노랫말에서 반복되는 말을 찾아 ○표 하시오.

> 꼬부랑 할머니가
> 꼬부랑 고갯길을
> 꼬부랑 꼬부랑 넘어간다.

4 다음 문장에서 밑줄 그은 낱말이 꾸며 주는 말이 아닌 것은 무엇입니까?⋯⋯(   )

① 미나는 커다란 사과를 들고 있다.

② 강아지가 꼬리를 살랑살랑 흔든다.

③ 창문을 열자 시원한 바람이 들어왔다.

④ 우리는 시장 가시는 어머니를 졸졸 따라갔다.

⑤ 영수와 인호가 엎치락뒤치락 뒤엉켜 싸우고 있다.

5 글자를 골라 뜻에 알맞은 어휘를 쓰시오.

(1)

 열매 따위가 많이 달려 있는 모양.
㉮ 배가 ○○○○ 달렸다.

○ ○ ○ ○

---

(2)

 자동차나 비행기 따위가 출발할 때 나는 소리.
㉮ 차는 ○○○ 소리를 내며 출발했다.

○ ○ ○

---

(3)

방 누 데 철 굴
쏴 데 퍼 중 말
학 으 런 굴 삭

 큰 물건이 계속 구르는 모양.
㉮ 축구공이 ○○○○ 굴러갔다.

○ ○ ○ ○

---

(4)

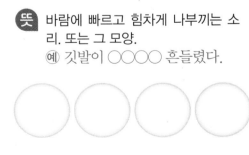 바람에 빠르고 힘차게 나부끼는 소리. 또는 그 모양.
㉮ 깃발이 ○○○○ 흔들렸다.

○ ○ ○ ○

3일
똑쏙 어휘

❶ 설겆이 / 설거지

Q 설겆이가 맞을까요, 설거지가 맞을까요?

설겆이를 도와드렸다. 용돈을 주시겠지?

A 설거지 (◯)

먹고 난 뒤의 그릇을 씻어 정리하는 일은 '설거지'라고 해요. '설겆이'도 같은 소리가 나지만 쓸 때는 설거지라고 소리 나는 대로 쓰는 게 맞아요.

예) 어머니의 <u>설거지</u>를 도와드렸다.

② 거꾸로 / 꺼꾸로

거꾸로가 맞을까요, **꺼꾸로**가 맞을까요?

항상 거꾸로만 행동하는 아들 청개구리에게 엄마 청개구리는
자신의 무덤을 물가 옆에 만들어 달라고 하였습니다.

A 거꾸로(　　○　　)

　거꾸로를 힘주어 말하다 보면 '꺼꾸로'라고 잘못 말하기도 해요. 어떤 일을 반대로 하는 것을 뜻하는 거꾸로는 쓸 때도 '거꾸로'라고 쓰고 읽을 때도 [거꾸로]라고 읽어요.

예 옷을 거꾸로 입다.
예 청개구리는 항상 거꾸로 행동한다.

3일 알쏭 어휘

③ 조리다 / 졸이다

Q 마음을 조리다가 맞을까요, 졸이다가 맞을까요?

> 엄마! 엄마! 생선 조리다가 다 태우겠어요!

> 어머나! 내 정신 좀 봐!

> 다다다

엄마는 생선을 조리고, 우리들은 마음을 졸이고……

A 마음을 졸이다 (○) / 생선을 조리다 (○)

'조리다'는 양념이 배어들게 바짝 끓인다는 뜻이고, '졸이다'는 '속을 태우다시피 초조해하다'라는 뜻이에요. 그래서 마음은 졸이고, 생선은 조리는 것이지요. 그런데 '졸이다'에는 국물이 졸아들게 하다는 뜻도 있어서 '국물을 졸이다'와 같이 쓰여요.

⑩ 찌개를 졸이다, 생선을 조리다.

⑩ 실수를 할까 봐 마음을 졸이다.

> 생선 조림을 하려고 했는데, 생선 구이가 됐네? 냐오오옹~

④ 채 / 체

Q 잘난 체가 맞을까요, 잘난 채가 맞을까요?

A 잘난 체(○) / 잘난 척(○)

그럴 듯하게 꾸미는 거짓 태도나 모양을 뜻하는 말은 '체'예요. '잘난 체(잘난 척)', '못 본 체(못 본 척)'과 같이 '체'는 '척'과 바꾸어 쓸 수 있어요. 반면에 '채'는 이미 있는 상태 그대로를 뜻하는 말이에요. 그래서 '옷을 입은 채 물에 들어가다.'와 같이 써요.

㈎ 음식을 먹고도 먹지 않은 체하다.

㈎ 손도 씻지 않은 채 음식을 먹다.

1 다음 빈칸에 공통으로 들어갈 알맞은 말에 ○표 하시오.

- 주말 [   ] 는 주로 아버지께서 하신다.

- 내가 먹은 그릇의 [   ] 는 내가 하려고 노력한다.

- [   ] 와 같은 부엌일은 온 가족이 함께 한다.

(설걷이 / 설겆이 / 설거지)

2 다음 문장의 밑줄 그은 말이 바르지 않은 것은 어느 것입니까? ·················(   )

① 우리 식구는 생선 조림을 좋아한다.
② 어머니께서 멸치를 간장에 조려 반찬을 만드셨다.
③ 청개구리는 항상 어머니의 말씀과 거꾸로 행동했다.
④ 동생과 나는 할머니께서 넘어지실까 봐 마음을 조렸다.
⑤ 동생은 내 장난감을 망가뜨리고도 아무렇지도 않은 체했다.

3 다음 문장의 밑줄 그은 부분을 알맞은 말로 고쳐 쓰시오.

(1) 토마토는 꺼꾸로 읽어도 토마토. ➡ [   ]

(2) 오늘 설겆이 당번은 저예요. ➡ [   ]

(3) 혼날까 봐 마음을 조리다가 잠이 들었다. ➡ [   ]

(4) 누나는 계란 장졸임을 좋아한다. ➡ [   ]

(5) 여우는 잘난 채가 심해서 다른 동물들이 싫어했다. ➡ [   ]

4 다음 그림을 보고 알맞은 말에 ○표 하시오.

(1)

청개구리는 엄마 말을 듣고도
못 들은 (채 / 척)하였습니다.

(2)

'설겆이'라고 쓰고 '설거지'라고
쓴 (채 / 체)했습니다.

(3)

다 탄 생선을 먹기 싫었지만 못 이기는
(척 / 채) 슬그머니 자리에 앉았습니다.

(4)

거울은 왕비가 가장 아름답다고 모르는
(척 / 채)할 걸 그랬다며 후회했습니다.

일기 예보

오늘의 어휘

강우량

일정 기간 동안 일정한 곳에 내린 비의 양.

예 여름철에는 <u>강우량</u>이 많다.

降 雨 量
내릴 강 비 우 양 량
비가 내린 양

1
주

오늘의 어휘

강수량

비, 눈, 우박 등으로 일정 기간 동안 일정한 곳에 내린 물의 총량.

예 우리나라 여름철 강수량은 겨울철의 열 배가 넘는다.

降 水 量
내릴 강　물 수　양 량
내린 모든 물의　양

날씨 》 강수량

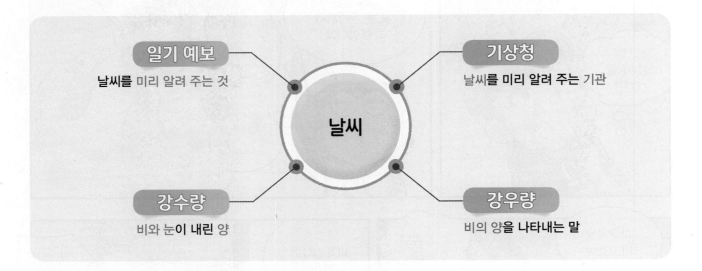

일기 예보
날씨를 미리 알려 주는 것

기상청
날씨를 미리 알려 주는 기관

날씨

강수량
비와 눈이 내린 양

강우량
비의 양을 나타내는 말

날씨

날씨는 그날그날의 구름, 비, 바람, 온도 등이 나타나는 상태를 말해. 그날그날 날씨에 따라 사람들의 옷차림, 하는 일이 다르지. 날씨는 사람들의 생활에 많은 영향을 끼쳐.

예) 내일 소풍을 갈 건데 날씨가 어떨까요?

🔊 내일 날씨를 알아보려면?

**일기
예보**

일 기 + 예 보
　날씨　　미리 알려 줌.

날씨를 한자어로 '일기'라고 해. 그리고 '예보'는 앞으로 일어날 일을 미리 알려 준다는 뜻이야. 그러니 '일기 예보'란 앞으로의 날씨를 예측해서 미리 알려 주는 것을 말하지.

예) 일기 예보에서 올해 태풍은 언제쯤 온다고 했나요?

일기 예보를 시작하겠습니다.

🔊 일기 예보는 누가 알려 줄까?

기상청

기 상 을 알려 주는 관 청

우리나라의 일기 예보는 기상청에서 해. 비, 눈과 같은 날씨 현상을 '기상'이라고 하는데, '나랏일을 하는 곳'을 뜻하는 말 '-청'이 붙어 '기상청'이라고 하지.

㉠ 오늘날 기상청은 인공위성 등을 이용하여 일기 예보의 정확성을 높이고 있습니다.

▲ 우리나라의 기상청

◁» 기상청에서 알려 주는 날씨 정보에는 무엇이 있을까?

강우량

강우량은 비의 양을 나타내는 말이야. 일정한 기간 동안 일정한 곳에 내린 비의 양을 강우량으로 표시하는데, 단위로는 밀리미터(mm)가 쓰여. 조선 시대 때, 강우량을 측정하기 위해 발명된 것이 바로 측우기야.

㉠ 내일 강우량은 30밀리미터(mm) 정도로 예상됩니다.

雨 비 우

▲ 강우량을 재는 측우기

◁» 강우량과 강수량은 어떻게 다르지?

강수량

'강우'는 땅에 내린 '비'를 뜻하는 말이고 '강수'는 땅에 내린 '모든 물'을 뜻해. 즉 강우(雨 비 우)량은 비의 양만 나타내고, 강수(水 물 수)량은 비, 눈, 우박 등으로 내린 모든 물의 양을 뜻하는 말이야.

㉠ 사막은 강수량이 적어서 식물이 자라기 어렵습니다.

水 물 수

1 다음은 '일기 예보'의 뜻입니다. 첫 자음자와 뜻을 살펴보고 ❶과 ❷에 들어갈 알맞은 낱말을 쓰시오.

일기 예보 ⟶ ❶ ㄴ ㅆ 의 변화를 ❷ ㅇ ㅊ 하여 미리 알리는 일.

❶ ㄴ ㅆ : 그날그날의 비, 구름, 바람, 기온 따위가 나타나는 상태.

❷ ㅇ ㅊ : 미리 헤아려 짐작함.

2 우리나라의 날씨를 관찰하고 일기 예보를 해 주는 곳은 어디입니까?

(   )

3 낱말의 알맞은 뜻을 찾아 선으로 이으시오.

(1) 강설량 •
      ↳ 雪(눈 설)

(2) 강우량 •
      ↳ 雨(비 우)

• ① 일정한 기간 동안 일정한 곳에 내린 눈의 양.

• ② 일정한 기간 동안 일정한 곳에 내린 비의 양.

4 '강수량'에 대한 설명으로 알맞은 것에 ○표, 알맞지 <u>않은</u> 것에 ×표 하시오.

(1) 비, 눈, 우박 등의 양을 측정한다.

(2) 땅에 내린 모든 물의 양을 뜻하는 말이다.

(3) 측우기는 조선 시대에 강수량을 측정하기 위해 발명했다.

5 오늘 배운 어휘(날씨 관련) 다섯 가지를 가로, 세로, 대각선에서 모두 찾아 ○표 하시오.

교	강	☆	그	기	상	청	미	날	스
관	우	병	전	차	체	강	청	짜	씨
기	량	설	☆	충	득	복	수	요	가
평	아	림	일	기	예	보	화	량	람

6 다음 ○○에 들어갈 말을 글자 칸의 글자를 모아 만들어 쓰시오.

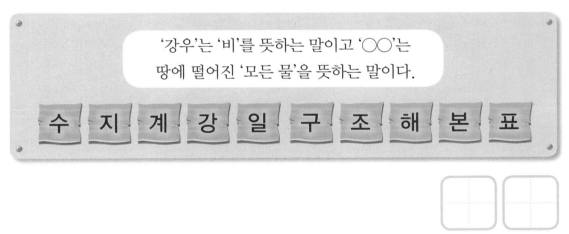

'강우'는 '비'를 뜻하는 말이고 '○○'는
땅에 떨어진 '모든 물'을 뜻하는 말이다.

수 지 계 강 일 구 조 해 본 표

7 다음 단서를 보고 떠오르는 어휘를 쓰시오.

─[관청]: 나랏일을 하는 곳.

火가 들어간 말

火
불 화

{ 불길이 활활 타며 솟아오르는 모습을 그린 글자로 불을 뜻하는 한자예요. }

급수 | 8급   부수 | 火   획수 | 총 4획

QR을 보며 따라 써요!

1주

🔍 한자 획순을 알아보아요.

① 火 → ② 火 → ③ 火 → 火 ④

火 불 화

한자를 쓰며 익혀요~!

화 재　불이 나는 재앙. 또는 불로 인한 재난

○ 고향 마을에 **화재**가 일어나 많은 사람들이 집을 잃었습니다.

火	災
불 화	재앙 재

화 력　불이 탈 때에 내는 열의 힘

○ 이 고기를 맛있게 구우려면 **화력**이 센 불이 필요해요.

火	力
불 화	힘 력

소 **화** 기　불을 끄는 기구

○ 화재를 예방하려면 불이 나기 쉬운 곳에 **소화기**를 갖추어 두어야 합니다.

消	火	器
꺼질 소	불 화	그릇 기

水가 들어간 말

水

물 수

{ 시냇물 위로 비가 내리는 모습을 그린 글자로 물을 뜻하는 한자예요. }

급수 | 8급   부수 | 水   획수 | 총 4획

水
물 수

🔍 한자 획순을 알아보아요. ──────────

QR을 보며 따라 써요!

① 水 → ② 水 → 水 → 水 ④

1주

한자를 쓰며 익혀요~!

냉 **수**
차가운 물 = 찬물
반대말: 온수

⊙ 날이 더웠지만 **냉수** 한 잔을 시원하게 마시고 나니 가슴속까지 차가워졌습니다.

冷	水
찰 냉	물 수

온 **수**
따뜻하게 데워진 물 = 더운물
반대말: 냉수

⊙ 목욕탕에서 **온수**가 나오지 않아 몸을 씻기가 힘들었습니다.

溫	水
따뜻할 온	물 수

정 **수** 기
물을 깨끗하게 하는 기구

⊙ **정수기**를 통해 깨끗하게 걸러져 나온 물은 안심하고 마실 수 있습니다.

淨	水	器
깨끗할 정	물 수	그릇 기

1 다음 낱말에 공통으로 들어가는 '화' 자의 뜻은 어느 것입니까? ················· ( )

화 재 　　　 **화** 력 　　　 **화** 산

① 물 　　　 ② 불 　　　 ③ 돌 　　　 ④ 흙 　　　 ⑤ 나무

2 다음 뜻을 가진 낱말은 어느 것입니까? ·· ( )

🔹뜻 불을 끄는 기구.

① 화력 　　　 ② 소방관 　　　 ③ 소방차 　　　 ④ 소방서 　　　 ⑤ 소화기

3 다음 낱말의 뜻풀이로 보아 밑줄 그은 '수'가 '물'의 뜻이 <u>아닌</u> 것은 어느 것입니까?

수영	물속을 헤엄치는 일.	지하<u>수</u>	땅 밑으로 흐르는 물.
생<u>수</u>	마실 수 있는 맑은 물.	<u>수</u>학	수와 관련된 연구를 하는 학문.

( )

4 힌트 를 보고 다음 빈칸에 들어갈 알맞은 글자를 써넣으시오.

냉 [ ]

온 [ ]

힌트
• 냉[ ] : 차가운 물. 찬물.
• 온[ ] : 따뜻한 물. 더운물.

5 친구들이 가진 종이배로 사다리를 타고 내려가서 뜻에 알맞은 한자어를 보기 에서 골라 쓰시오.

보기

화재　　　냉수　　　화력　　　온수

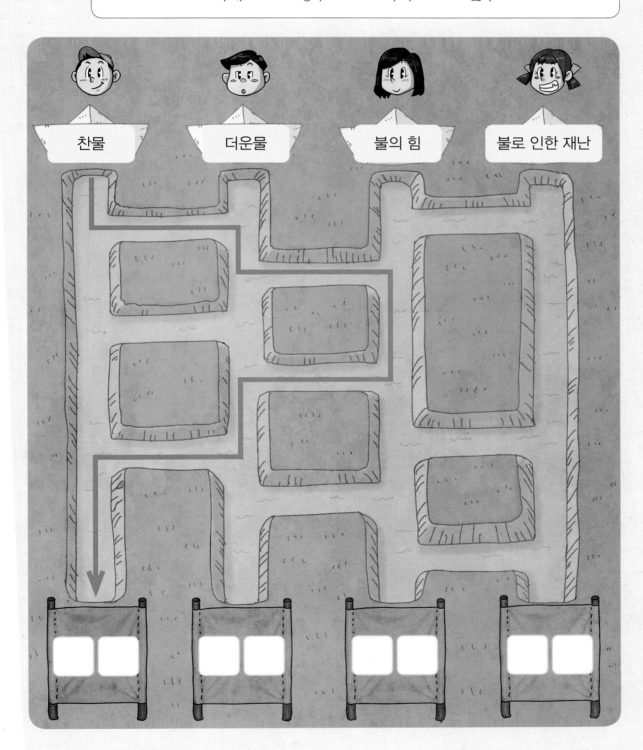

1 다음을 보고 빈칸에 들어갈 알맞은 말을 고르시오. ·········· (   )

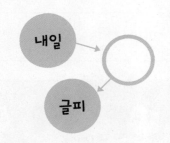

① 어제   ② 그제   ③ 모레

④ 그저께   ⑤ 그글피

2 빈칸에 들어갈 알맞은 말에 ○표 하시오.

3~4일	사나흘
4~5일	네댓새
5~6일	
6~7일	예니레

(대엿새 / 오육일)

3 '보름'은 며칠을 말합니까? ········· (   )

① 3일   ② 5일   ③ 10일

④ 15일   ⑤ 30일

4 다음 그림에 어울리는 흉내 내는 말을 선으로 이으시오.

(1)    •   • ㉠   짹짹

(2)    •   • ㉡   뭉게뭉게

(3)    •   • ㉢   살랑살랑

5 다음 문장에서 꾸며 주는 말을 모두 고른 것은 어느 것입니까? ·············· (   )

넓은 들판에 맛있는 곡식이 누렇게 익어 간다.

① 넓은, 누렇게

② 들판에, 곡식이

③ 맛있는, 누렇게

④ 넓은, 맛있는, 누렇게

⑤ 넓은, 들판에, 맛있는

6 글자를 골라 빈칸에 들어갈 꾸며 주는 말을 쓰시오.

라면이 ○○○○ 끓었습니다.

(　　　　　　　　)

7 다음 문장의 빈칸에 들어갈 말로 알맞은 것 두 가지를 고르시오. ──(　 , 　)

영희는 다리를 다친 강아지를 보고 도 못 본 ☐ 지나쳤습니다.

① 채　　　② 체　　　③ 척
④ 착　　　⑤ 째

8 다음 중 강수량에 포함되는 양이 아닌 것은 어느 것입니까? ──────(　)

① 비의 양　　　② 눈의 양
③ 우박의 양　　④ 바닷물의 양
⑤ 소나기의 양

9 다음 문장의 밑줄 그은 말이 바르게 쓰인 것은 어느 것입니까? ──────(　)

① 옷을 꺼꾸로 입었다.
② 생선을 간장에 조렸다.
③ 어머니의 설겆이를 도와드렸다.
④ 잠이 덜 깬 체로 산책을 나섰다.
⑤ 나무에서 떨어질까 봐 마음을 조렸다.

10 다음 십자말풀이의 빈칸에 들어갈 알맞은 글자는 무엇입니까? ──────(　)

↓ 세로
불을 끄는 기구

→ 가로
불이 일어 남. 불로 인한 재난

① 월　　　② 화　　　③ 수
④ 목　　　⑤ 금

속담 플러스

하룻강아지 범 무서운 줄 모른다

 태어난 지 얼마 안 된 강아지를 '하룻강아지'라고 해요. '범'은 호랑이를 말하지요. 태어난 지 얼마 안 되었으니 호랑이가 얼마나 무서운지 하룻강아지는 알 수가 없겠지요? 이처럼 하룻강아지 범 무서운 줄 모른다는 상대를 잘 알아보지 못하고 철없고 겁 없이 덤비는 것을 이르는 속담이랍니다.

1 하루부터 열흘까지 다음 구슬을 차례대로 꿰어 보세요.

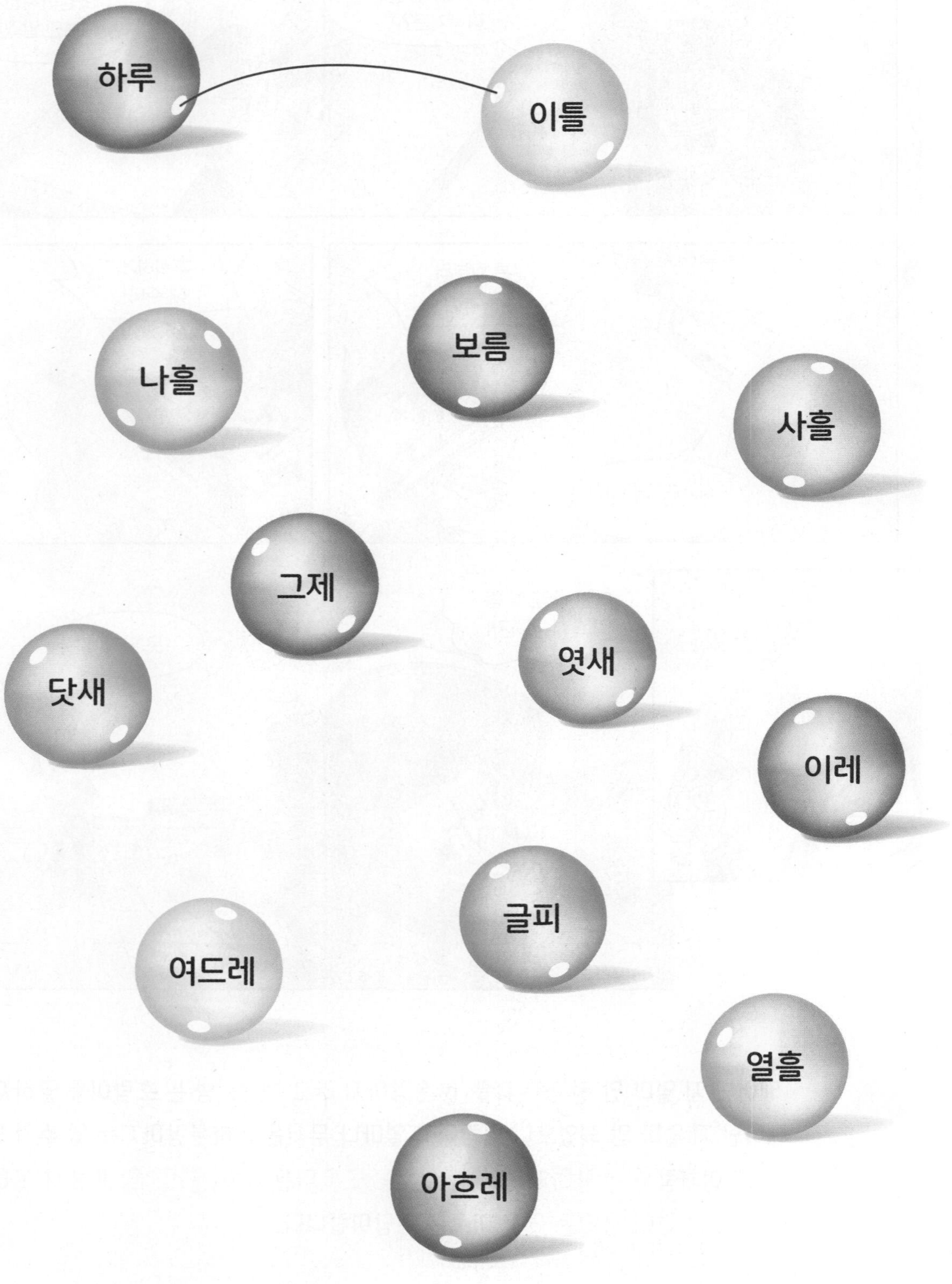

하루

이틀

나흘

보름

사흘

그제

엿새

닷새

이레

글피

여드레

열흘

아흐레

2 다음 다섯 고개에 알맞은 낱말을 떠올려 써 보세요.

(1)

흉내 내는 말인가요?	예.
소리를 흉내 내는 말인가요?	아니요.
토끼와 관련된 말인가요?	예.
네 글자의 말인가요?	예.
ㄲ으로 시작하나요?	예.

(2)

반복되는 말인가요?	예.
날씨와 관련된 말인가요?	예.
눈이 내리는 모양인가요?	아니요.
비가 내리는 소리인가요?	예.
ㅈ으로 시작하나요?	예.

(3)

소리를 흉내 내는 말인가요?	아니요.
얼굴 표정과 관련 있나요?	예.
아기를 보면 떠오르는 말인가요?	예.
웃는 모양을 흉내 내는 말인가요?	예.
ㅂ으로 시작하나요?	예.

논리 탄탄

1 맞춤법이 바른 문장이 있는 곳만 따라가야 무사히 강을 건널 수 있어요. 강을 잘 건널 수 있게 선을 그어 길을 찾아 주세요.

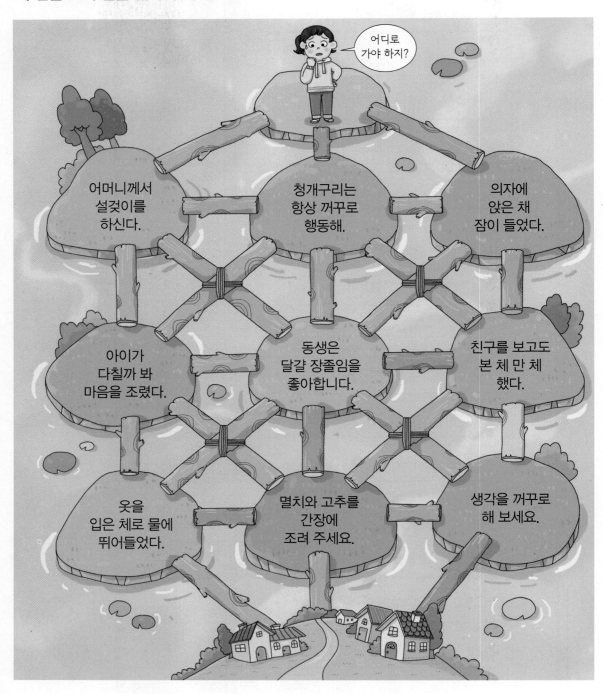

2 질문에 알맞은 대답을 찾아 화살표로 가는 길을 표시해 보세요.

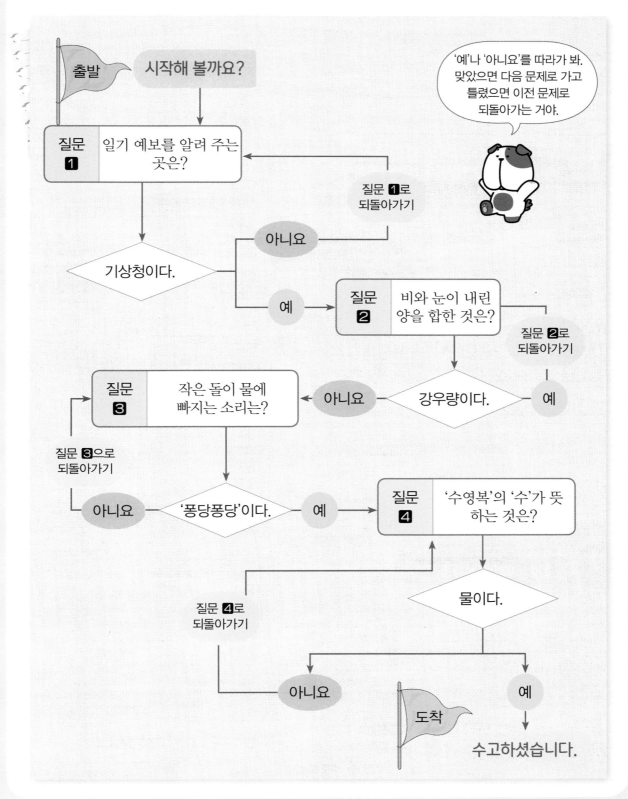

2주에는 무엇을 공부할까? ❷

1일 주제 어휘 > 비와 관련된 말

소나기
장대비
이슬비
가랑비
안개비
여우비

2일 교과 어휘 국어 > 낱말

낱말
비슷한말
반대말
문장
문단

3일 알쏭 어휘 > 설레다…

김치찌개/
김치찌게
설레다/
설레이다
-장이/-쟁이
싸다/쌓다

4일 교과 어휘 과학 > 물체와 물질

물체
물질
고체
액체
기체

5일 한자 어휘 > 山메 산 海바다 해

산림
명산
등산
해물
동해
항해

주제 어휘 **1**

비와 관련된 말

다음과 같이 내리는 비를 무엇이라고 하는지 선으로 이으세요.

(1)

안개처럼 부옇게 보이는 비.

(2)

장대(대나무)처럼 굵은 비.

(3)

이슬처럼 아주 가늘게 내리는 비.

① 장대비

② 이슬비

③ 안개비

주제 어휘 **2**

비와 관련된 말

비가 내리는 세기를 구별하여 ◯ 안에 >, =, < 중 하나의 기호를 써넣으세요.

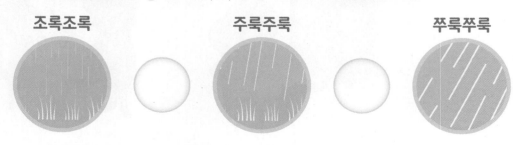

조록조록　　　주룩주룩　　　쭈룩쭈룩

교과 어휘
3 [국어] 낱말

다음과 같은 낱말들을 무엇이라고 부르는지 선으로 이으세요.

(1)

| 책 | 연필 | 우정 | 아버지 |
| 가족 | 사과 | 믿음 |

(2)

| 아름답다 | 예쁘다 | 맑다 |
| 빨갛다 | 동그랗다 | 차갑다 |

(3)

| 자다 | 먹다 | 보다 | 뛰다 |
| 날다 | 공부하다 | 가르치다 |

① 명사　　　　　② 동사　　　　　③ 형용사

교과 어휘
4 [국어] 낱말

비슷한말이면 =를, 반대말이면 ↔를 ◯ 안에 써넣으세요.

(1)

친구 ◯ 동무

(2)

얇다 ◯ 두껍다

비와 관련된 말

오늘의 어휘

비의 종류

장대처럼 굵게 내리는 비 / 이슬처럼 가늘게 내리는 비 / 안개처럼 부옇게 보이는 비
→ 장대비 ←   → 이슬비 ←   → 안개비 ←

2주

오늘의 어휘

비가 내리는 소리나 모양

토도독토도독 → 빗방울이 세게 떨어지는 소리 / 주룩주룩 → 굵은 물줄기가 내리는 소리

쏴쏴 → 자꾸 비바람이 치는 소리 / 조록조록 → 가느다란 빗물이 내리는 소리나 모양

비와 관련된 말

갑자기 비가 내려. 더워서 힘들었는데 이렇게 비가 내리니 내 마음도 시원하고 마을도 시원하고 온 세상이 다 시원하네. 그런데 이렇게 갑자기 내리는 비는 뭐라고 하지? 비의 여러 가지 이름을 알아볼까?

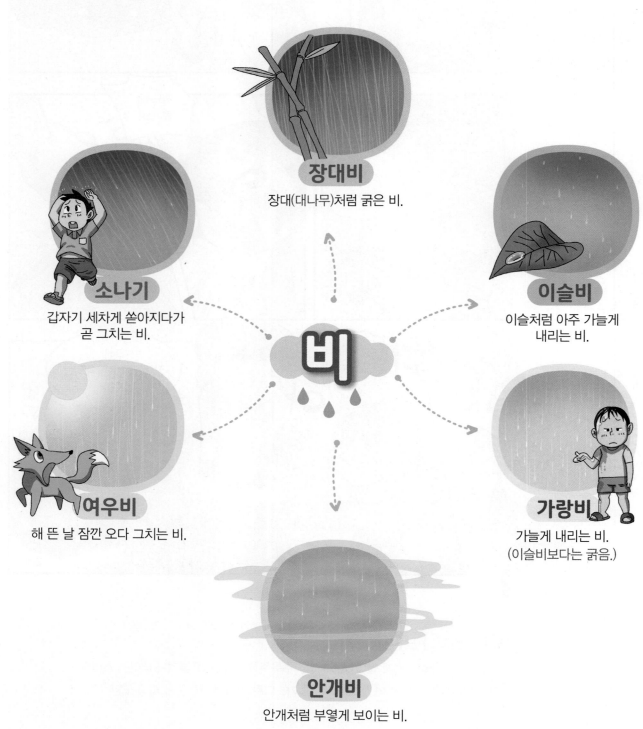

장대비
장대(대나무)처럼 굵은 비.

소나기
갑자기 세차게 쏟아지다가 곧 그치는 비.

이슬비
이슬처럼 아주 가늘게 내리는 비.

여우비
해 뜬 날 잠깐 오다 그치는 비.

가랑비
가늘게 내리는 비. (이슬비보다는 굵음.)

비

안개비
안개처럼 부옇게 보이는 비.

비가 내리는 소리나 모양

토도독토도독

빗방울 따위가 바닥이나 나뭇잎 위에 잇따라 세게 떨어지는 소리야.

주룩주룩

주룩주룩 내리는 빗방울은 굵고 세차지. 굵은 물줄기나 빗물이 빠르게 내리는 소리야.

쏴쏴

자꾸 비바람이 치는 소리를 '쏴쏴'라고 해. 비가 쏴쏴 오면 바람까지 세차게 부는 게 느껴지지.

조록조록

비가 좀 줄어들어서 가느다란 빗물이 내리는 소리나 모양을 조록조록이라고 해.

 **들어봤니?**

✪ 비의 세기를 어휘로 표현하기

모음자 'ㅓ, ㅜ'가 쓰이면 더 크고 강한 느낌을 줘. 그래서 '조록조록' 내리는 비보다 '주룩주룩' 내리는 빗물이 더 굵지. 그리고 'ㄲ, ㄸ, ㅃ, ㅆ, ㅉ'이 쓰이면 더 거센 느낌을 줘. 그래서 '주룩주룩' 내리는 비보다 '쭈룩쭈룩' 내리는 비가 더 거칠고 세찬 느낌이 드는 거야.

조록조록	주룩주룩	쭈룩쭈룩
	< 	<

1 다음 뜻을 가진 말을 보기 에서 찾아 쓰시오.

보기

안개비   장대비   소나기

(1) 갑자기 쏟아지다가 곧 그치는 비.

(2) 장대처럼 굵게 내리는 비.

(3) 안개가 낀 것처럼 부옇게 보이는 비.

2 해가 떠 있는 날 잠깐 오다가 그치는 비를 무엇이라고 합니까? ·····················(   )

① 봄비   ② 여름비   ③ 가을비   ④ 여우비   ⑤ 장맛비

3 다음 뜻에 알맞은 흉내 내는 말을 찾아 선으로 이으시오.

(1) 자꾸 비바람이 치는 소리.   ·   · ① 쏴쏴

(2) 빗방울이 나뭇잎에 떨어지는 소리.   ·   · ② 토도독

4 보기 의 세 낱말을 비의 세기가 약한 말부터 강한 순서대로 늘어놓으시오.

보기

주룩주룩
조록조록
쭈룩쭈룩

_____ < _____ < _____

5 다음 십자말풀이를 해 보시오.

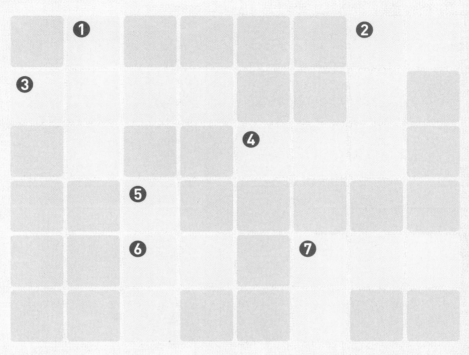

→ 가로

❷ 비가 올 때 신는 긴 신발.

❸ 비가 가늘게 조용히 내리는 모양.

ㄸ 보○보○ 비가 내립니다.

❹ 안개가 낀 것처럼 아주 가늘게 내리는 비.

❻ 비를 막으려고 펼쳐서 쓰는 것.

❼ 갑자기 쏟아지다가 곧 그치는 비.

↓ 세로

❶ 이슬처럼 내리는 비.

❷ 긴 장대처럼 굵게 내리는 비.

❺ 해가 뜬 날 잠깐 오다가 그치는 비.

❼ 휴식을 취하기 위해 야외에 나갔다 오는 일.

ㄸ 비가 내려서 ○○ 가는 것을 취소했습니다.

2일

교과 어휘 국어

낱말

오늘의 어휘

낱말의 종류

이름을 나타내는 말 / 형태나 상태를 나타내는 말 / 움직임을 나타내는 말

→ 명사 예 하늘   → 형용사 예 높다   → 동사 예 먹다

2주

오늘의 어휘

비슷한말 / 반대말 / 문장 → 문단

비슷한말: 뜻이 비슷한 말 / **반대말**: 서로 뜻이 반대인 낱말 예 위 ↔ 아래

┌ **문장**: 낱말이 모여 만들어진 하나의 줄글

└ **문단**: 문장이 모여 만들어진 작은 글 토막

낱말

비슷한말		문장
친구-동무 / 마을-동네	**낱말**	낱말이 모인 한 줄.
반대말		문단
남자↔여자 / 작다↔크다		문장이 모인 덩어리.

낱말

낱 낱의 말

'하늘', '바람', '별'과 같이 어떤 뜻을 가지고 있는 하나하나의 말을 '낱말'이라고 해. '단어'라고도 하지. 우리가 하는 말은 모두 낱말에서 시작한다고 볼 수 있어.

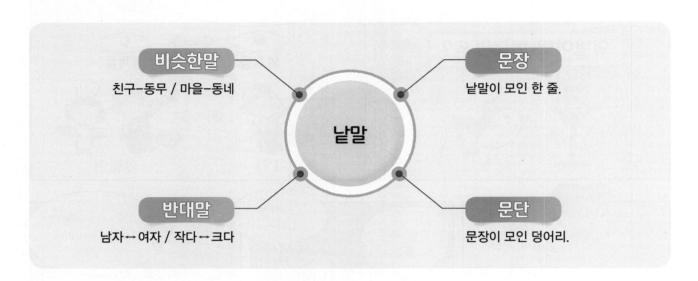

명사 — 이름을 나타내는 낱말

책 연필 우정 아버지 가족 사과 믿음

형용사 — 형태나 상태를 나타내는 낱말

아름답다 예쁘다 맑다 빨갛다 동그랗다 차갑다

동사 — 움직임을 나타내는 낱말

자다 먹다 보다 뛰다 날다 공부하다 가르치다

낱말을 나누는 또 다른 기준은?

비슷한말 ≫ 문단

비슷한 말

뜻이 비 슷 한 낱 말

'아이'는 '어린이'와 뜻이 비슷해. 또 '마을'은 '동네'와 뜻이 비슷해. 이렇게 뜻이 비슷한 두 낱말을 비슷한말이라고 해.

뜻이 서로 반대라면?

친구 = 동무

반대말

뜻이 반 대 의 낱 말

'가다'와 '오다'는 서로 뜻이 반대되는 낱말이야. '크다'와 반대의 뜻을 가진 낱말은 '작다'이지. 이렇게 두 뜻이 반대 관계에 있는 낱말을 반대말이라고 해.

낱말이 모이면?

얇다 ↔ 두껍다

문장

낱말이 모여서 한 줄 한 줄의 뜻을 가진 문장이 만들어져. 문장이란 이렇게 완전한 뜻을 나타내는 하나의 줄 글을 말해.

낱말		
영호	학교	가다
토끼	풀	먹다

→

문장
• 영호는 학교에 간다.
• 토끼가 풀을 먹는다.

문장이 모이면?

문단

한 줄 한 줄의 문장이 모이면 작은 글 덩어리를 이루지. 이렇게 작은 글 토막을 '문단'이라고 해. 글을 내용에 따라 부분 부분으로 나눌 수 있는데, 그러한 부분을 '문단'이라고 하는 거야.

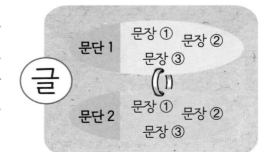

글

문단 1 : 문장 ① 문장 ② 문장 ③

문단 2 : 문장 ① 문장 ② 문장 ③

1 나머지 세 낱말과 종류가 다른 낱말을 찾아 ○표 하시오.

(1) | 책상 | 연필 | 맑다 | 동생 |

(2) | 가다 | 걷다 | 뛰다 | 사람 |

2 다음 빈칸에 알맞은 낱말을 쓰시오.

(1) 마을 = 비슷한말 [ ]　　(2) [ ] = 비슷한말 동무

(3) 위쪽 ↔ 반대말 [ ]　　(4) 좁다 ↔ 반대말 [ ]

3 보기 와 같이 다음 주어진 낱말로 문장을 만들어 쓰시오.

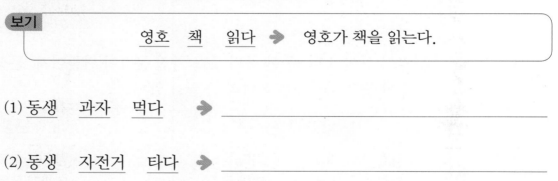

보기

영호　책　읽다　➡　영호가 책을 읽는다.

(1) 동생　과자　먹다　➡　_____

(2) 동생　자전거　타다　➡　_____

4 다음 중 '문단'에 대한 설명으로 알맞은 것은 어느 것입니까? ················ (　　)

① 글을 대표하는 이름

② 뜻을 가지고 있는 하나의 말

③ 낱말이 모인 한 줄 한 줄의 줄 글

④ 글을 내용에 따라 나눈 글 덩어리

⑤ 문장의 뜻을 보다 분명히 해 주는 기호

5 다음 빈칸에 들어갈 알맞은 말을 보기 에서 찾아 쓰시오.

보기
> 낱말   문장   글자   문단

(1)

횡단보도를 건널 때에는 휴대 전화를 보지 맙시다. 다른 사람과 부딪히거나 넘어질 수 있어서 위험합니다. 휴대 전화를 보아야 할 때에는 길을 먼저 다 건넌 뒤에 안전한 곳에 서서 봅시다.

(2)

6 글자를 골라 다음 관계에 알맞은 어휘를 쓰시오.

(1)

관계 '산울림'과 비슷한말.

○ ○ ○

(2)

관계 '책방'과 비슷한말.

○ ○

(3)

관계 '나가다'의 반대말.

○ ○ ○ ○

3일

알쏭 어휘

① 김치찌개 / 김치찌게

Q '김치찌개'가 맞을까요, '김치찌게'가 맞을까요?

A 김치찌개 (◯)

냄비에 고기, 채소, 두부 등을 넣고 양념과 함께 끓여 낸 음식을 뜻하는 바른 말은 '찌개'예요. 김치를 넣은 김치찌개, 된장을 풀어서 끓여 낸 된장찌개, 햄과 야채를 넣은 부대찌개. 모두 '찌게'가 아닌 '찌개'가 바른 말이에요.

예 참치를 넣은 김치찌개가 맛있습니다.

❷ 설레다 / 설레이다

Q '설레다'가 맞을까요, '설레이다'가 맞을까요?

A 가슴이 설레다 (○)

　즐겁고 기다려지는 일이 있을 때 마음이 가라앉지 않고 들떠서 두근거린다는 뜻으로 '설레다'를 써요. '설레임'처럼 '설레이다'라고 잘못 쓰는 경우가 많은데, 알맞은 표현은 '설레다'이므로, '설렘'과 같이 써야 맞아요.

㉠ 선물을 받을 생각에 몹시 설레었습니다.

③ -쟁이 / -장이

Q '멋쟁이'가 맞을까요, '멋장이'가 맞을까요?

A 멋쟁이 (○   ), 구두장이 (○   )

'장이'는 '구두장이(구두를 만드는 사람)'처럼 기술을 가진 사람을 나타내는 말이고, '쟁이'는 '고집쟁이'처럼 특징을 가진 사람을 뜻하는 말이에요. 그래서 멋을 잘 내는 사람은 '멋장이'가 아닌 '멋쟁이'랍니다.

예 내 동생은 개구쟁이입니다.

예 구두장이가 만든 신발은 얼마입니까?

④ 싸다 / 쌓다

Q '싸다'와 '쌓다'는 어떻게 구분할까요?

A 둘러싸면 싸다 (◯), 얹으면 쌓다 (◯)

물건을 겹겹이 포개어 얹는 것은 '쌓다'예요. 그
리고 무언가를 안에 넣어 둘러싸는 것은 '싸다'이
고요. 햄버거를 싸 달라는 것은 다른 곳에서 먹을
테니 포장해 달라는 뜻이 되지요.

예 남은 음식들 싸 주세요.

예 돌을 쌓아 만든 탑입니다.

1 다음 문자 대화에서 틀린 낱말을 찾아 바르게 고친 것은 무엇입니까? ············ (　　)

> 영천: 배고프네. 점심때 뭐 먹을까?
> 민영: 김치찌개 시켜 먹을까?
> 동철: 아니야, 된장찌게가 더 나을 것 같아.

① 김치찌개 → 김치찌게　　　　② 김치찌개 → 김치찌계
③ 된장찌게 → 된장찌계　　　　④ 된장찌게 → 된장찌개
⑤ 된장찌게 → 된장지개

2 밑줄 그은 말 중, 틀린 낱말은 어느 것입니까? ······························· (　　)

① 나는 겁쟁이라는 별명이 정말 싫다.
② 어휴, 수다쟁이야. 그만 말하고 책 좀 읽으렴.
③ 놀부는 욕심쟁이라서 흥부의 재산을 빼앗았다.
④ 친구는 고집쟁이라서 의견을 절대 꺾지 않는다.
⑤ 우리나라의 대장쟁이가 만든 호미가 세계적으로 인기를 끌고 있다.

3 보기 의 낱말 중 바른 낱말을 모두 골라 ○표 하시오.

> 보기
> | 설레다 | 설레이다 | 설레임 |
> |---|---|---|
> | 설렘 | 설레요 | 설레여요 |

4 다음 뜻을 나타내는 바른 낱말에 ○표 하시오.

(1) 물건을 안에 넣고 보이지 않게 씌워 가리거나 둘러 말다.

(싸다 / 쌓다)

(2) 여러 개의 물건을 겹겹이 포개어 얹어 놓다.

(싸다 / 쌓다)

5 밑줄 그은 말 중, 고쳐야 하는 낱말은 어느 것입니까?⋯⋯⋯⋯⋯⋯⋯⋯⋯(④)

① 일주일 동안 김치찌개만 먹어서 질렸다.

② 순두부찌개가 너무 뜨거워서 혀를 데었다.

③ 된장찌개에는 반드시 두부가 들어가야 한다.

④ 날씨가 추워지니 동태찌개를 먹고 싶어졌다.

⑤ 근처에 부대찌게 잘하는 집이 생겼다고 들었다.

6 다음 대화에서 '설레다'를 바르게 사용한 사람은 누구입니까?⋯⋯⋯⋯⋯⋯( )

> 은지: 조금 있으면 방학이네. 참 설레인다.
> 유정: 나도 설레임 때문에 잠이 안 오더라.
> 하윤: 나는 숙제 때문에 설레이지 않던데.
> 혜란: 놀러 갈 생각만 해도 설레지 않니?
> 예진: 맞아, 방학은 우리를 모두 설레이게 해.

① 은지   ② 유정   ③ 하윤

④ 혜란   ⑤ 예진

7 다음 뜻을 나타내는 바른 낱말에 ○표 하시오.

(1) 겁이 많은 사람.   (겁쟁이 / 겁장이)

(2) 몹시 말이 많은 사람.   (수다쟁이 / 수다장이)

(3) 구두를 만들거나 고치는 일을 직업으로 하는 사람. (구두쟁이 / 구두장이)

8 밑줄 그은 낱말을 바르게 고쳐 쓰시오.

(1) 남은 음식은 가져갈 수 있도록 쌓아 주세요.   (   )

(2) 책을 싸아 놓기만 하고 읽지 않으니 안타깝구나. (   )

(3) 내 동생은 동네에서 유명한 개구장이입니다.   (   )

2주

물체와 물질

오늘의 어휘

물체와 물질

- **물체**: 물건의 몸체. 예 공은 둥근 <u>물체</u>입니다.
- **물질**: 물체를 이루는 재질. 예 꿀은 끈적한 <u>물질</u>입니다.

오늘의 어휘

물질의 상태 – 물의 여러 가지 상태

고체(얼음)

딱딱하다

흐른다

액체(물)

퍼진다

기체(수증기)

물체 ≫ 기체

물체와 물질

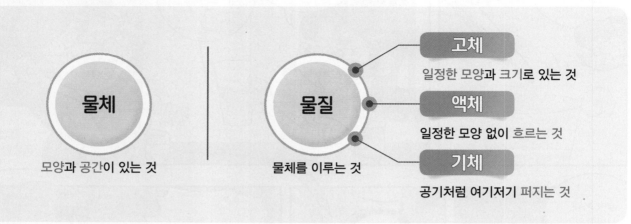

물체
모양과 공간이 있는 것

물질
물체를 이루는 것

고체
일정한 모양과 크기로 있는 것

액체
일정한 모양 없이 흐르는 것

기체
공기처럼 여기저기 퍼지는 것

물체

물 건의 몸 체

모양이 있고 공간을 차지하고 있는 것을 '물체'라고 해. 우리 눈에 보이고 만질 수 있는 모든 것들을 물체라고 할 수 있지. 공기나 물처럼 일정한 모양이 없는 것은 물체라고 하지 않아.

⑩ UFO는 정체를 알 수 없는, 날아다니는 <u>물체</u>라는 뜻입니다.

▲ 여러 가지 물체

🔊 물체를 만드는 재료는?

물질

물 체를 이루는 재 질

물체를 만드는 재료를 물질이라고 해. 자전거 안장은 '물체'이고, 안장을 만드는 가죽은 '물질'이야. 즉 물질은 물체를 이루고 있는 본바탕을 가리키는 말이야.

가죽   플라스틱   금속   고무

▲ 자전거를 이루고 있는 물질
└→ 물체

🔊 물질은 어떤 상태로 있을까?

**고체**

일정한 모양과 크기를 가지고 있고 그 형태가 잘 바뀌지 않는 특성을 가진 물질을 고체라고 해. 나무나 돌, 쇠는 모두 딱딱하고 모양도 잘 바뀌지 않지? 이러한 물질이 모두 고체야.

▲ 고체인 나뭇조각은 컵이 바뀌어도 그 모양이 변하지 않아.

🔊 **고체를 녹이면?**

**액체**

일정한 형태를 가지지 못하고 흐르는 성질이 있는 물질을 액체라고 해. 물, 주스, 사이다, 기름, 우유 등은 모두 액체야.

▲ 액체인 주스는 담는 컵의 모양에 따라 그 형태가 달라져.

🔊 **액체를 끓이면?**

기체

공기는 모양도 없고, 일정한 크기도 없어. 물처럼 흐르지 않지만 어떤 공간에 가두면 그 공간을 꽉 채우려는 성질이 있지. 공기와 같은 성질을 갖는 물질은 기체야.

▲ 기체는 모양도 없고 크기도 없어. 풍선 안에 가득 든 게 기체야.

・물의 여러 가지 상태

딱딱하다 / 얼음(고체) → 흐른다 / 물(액체) → 퍼진다 / 수증기(기체)

1 다음은 무엇에 대한 설명입니까? ··· (　　　)

> • 일정한 모양이 있고 공간을 차지한다.
> • 우리 눈에 보이고 만질 수 있는 모든 것들을 가리키는 말.

① 물총　　　② 물질　　　③ 물체　　　④ 동물　　　⑤ 식물

2 '물체'에 해당하지 <u>않는</u> 것을 　보기　에서 골라 ×표 하시오.

　보기
> 야구공　　　연필　　　가방　　　공기

3 고체에 대한 설명이면 '고체'를, 액체에 대한 설명이면 '액체'를 쓰시오.

(1) 일정한 형태를 가지지 않는다. □□

(2) 딱딱하고 모양이 잘 바뀌지 않는다. □□

(3) 흐르는 성질을 가지고 있다. □□

4 빈칸에 알맞은 낱말을 써넣으시오.

> 　모양도 없고 일정한 크기가 없는 상태의 물질로, 어떤 공간에 가두면 꽉 채우려는 성질을 갖고 있다. 이렇게 공기와 같은 성질을 갖는 물질을 '□□□'라고 한다.

5 다음 그림을 보고 ( ) 안의 알맞은 말에 ○표 하시오.

얼음

물

수증기

(1) (고체 / 액체)　　(2) (액체 / 기체)　　(3) (액체 / 기체)

6 다음에서 설명하는 낱말을 말 상자에서 가로, 세로, 대각선으로 찾아 모두 ○표 하시오.

(1) 일정한 모양과 크기를 가지고 있고 그 형태가 잘 바뀌지 않는 특성을 가진 물질.
(2) 일정한 형태를 가지지 못하고 물이나 주스, 기름처럼 흐르는 성질이 있는 물질.
(3) 물체를 만드는 재료. 물체를 이루고 있는 본바탕을 가리키는 말.
(4) 모양이 있고 공간을 차지하고 있는 것. 눈에 보이면서 만질 수 있는 모든 것.
(5) 모양도 없고, 일정한 크기도 없는 물질. 어떤 공간에 가두면 그 공간을 꽉 채우려는 성질이 있음.

山이 들어간 말

메 산

{ 육지에 우뚝 솟은 3개의 봉우리 모양을 흉내 내어 만든 글자로 '산'을 뜻해요. }

급수 | 8급   부수 | 山   획수 | 총 3획

QR을 보며 따라 써요!

메 산

🔍 한자 획순을 알아보아요.

한자를 쓰며 익혀요~!

 림 ── 산과 숲, 산에 있는 숲.

● 산림 보호를 위해 불이 나지 않도록 조심합시다.

山	林
메 산	수풀 림

명 산 ── 이름난 산, 유명한 산.

● 지리산과 한라산은 우리나라의 명산입니다.

한라산 ←

名	山
이름 명	메 산

등 산 ── 운동이나 즐거움을 목적으로 산에 오르는 것.

● 일요일에 가족 모두가 등산을 가기로 했습니다.

登	山
오를 등	메 산

海가 들어간 말

海 자는 水(물 수) 자와 毎(매양 매) 자가 합쳐져서 '바다'를 뜻하게 되었어요.

바다 해

급수 | 7급   부수 | 氵(水)   획수 | 총 10획

海
바다 해

🔍 한자 획순을 알아보아요.

海 →② 海 →③ 海 →④ 海 →⑤ 海 →⑥ 沪 →⑦ 海 →⑧ 海 →⑨ 海 →⑩ 海

2주

한자를 쓰며 익혀요~!

해 물　바다에서 나는 동식물을 통틀어 이르는 말.

♻ 라면에 해물을 넣고 끓였더니 아주 맛있습니다.

海	物
바다 해	물건 물

동 해　우리나라 동쪽에 있는 바다.

♻ 독도는 동해에 있는 우리나라의 섬입니다.

독도 ←

東	海
동녘 동	바다 해

항 해　배를 타고 바다 위를 다님.

♻ 항해 중에 돌고래를 만났습니다.

航	海
배 항	바다 해

1 다음 뜻을 가진 낱말은 어느 것입니까? ⋯⋯⋯⋯⋯⋯⋯⋯⋯⋯⋯⋯⋯⋯⋯⋯⋯ (   )

> 뜻 운동이나 즐거움을 목적으로 산에 오르는 것.

① 명산 　　② 산림 　　③ 등산 　　④ 하산 　　⑤ 화산

2 다음 밑줄 그은 '산' 자 중, 뜻이 다른 하나는 어느 것입니까? ⋯⋯⋯⋯⋯ (   )

① 백두<u>산</u> 　　　② 지리<u>산</u> 　　　③ 한라<u>산</u>
④ 계<u>산</u>기 　　　⑤ 등<u>산</u>로

3 다음 낱말에 모두 들어간 '해' 자의 뜻은 무엇입니까? ⋯⋯⋯⋯⋯⋯⋯⋯ (   )

서해	동해	남해

① 산 　　　　　② 들 　　　　　③ 강
④ 바다 　　　　⑤ 하늘

4 힌트 를 보고 빈칸에 알맞은 글자를 써넣으시오.

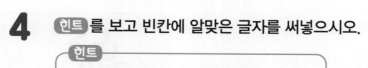

힌트
• 항◯ : 배를 타고 바다 위를 다님.
• ◯물 : 바다에서 나는 물건.

항

물

5 다음 밑줄 그은 한자어의 음을 쓰시오.

(1) <u>山林</u>은 우리의 소중한 자원입니다. ···▶ (   )

(2) 해가 떠오르는 모습을 보려고 <u>東海</u>로 갔습니다. ···▶ (   )

6 다음 밑줄 그은 한자어를 보기 에서 찾아 기호를 쓰시오.

보기
> ㉠ 航海   ㉡ 海物   ㉢ 登山   ㉣ 火山

(1) 저는 해물을 좋아하지만, 알레르기 때문에 조개는 못 먹습니다.
   ···▶ (   )

(2) 삼촌은 군대에 다녀온 뒤로 등산을 아주 싫어합니다.
   ···▶ (   )

7 보기 와 같이 다음 한자어의 음을 쓰시오.

보기
> 태어난 날 **生日** ··· 생   일

(1) 서쪽 바다 **西海** ··· 서 ⬚   (2) 이름난 산 **名山** ··· 명 ⬚

8 다음 뜻을 가진 '화산'을 한자로 쓰시오.

화산
• 뜻 : 땅속의 용암이나 가스
  등이 튀어나오는 산.

1 햇볕이 나 있는 동안 잠깐만 내리고 그치는 비를 무엇이라고 합니까? ······ (   )

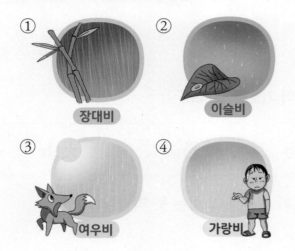

① 장대비   ② 이슬비   ③ 여우비   ④ 가랑비

2 비 내리는 소리를 흉내 내는 말이 <u>아닌</u> 것은 무엇입니까? ················· (   )

① 쏴쏴   ② 철철
③ 조록조록   ④ 주룩주룩
⑤ 토도독토도독

3 '이슬비'의 뜻으로 알맞은 것의 기호를 쓰시오.
(   )

이슬비

┌─────────────────────────┐
│ ㉠ 장대처럼 굵은 비.   │
│ ㉡ 장마철에 내리는 비.   │
│ ㉢ 아주 가늘게 내리는 비. │
└─────────────────────────┘

4 ㉠~㉢이 어떤 종류의 낱말에 해당하는지 기호를 쓰시오.

㉠ 책 연필 우정 아버지 가족 사과 믿음

㉡ 아름답다 예쁘다 맑다 빨갛다 동그랗다 차갑다

㉢ 자다 먹다 보다 뛰다 날다 공부하다 가르치다

(1) 이름을 나타내는 낱말
(   )
(2) 움직임을 나타내는 낱말
(   )
(3) 형태나 상태를 나타내는 낱말
(   )

5 낱말 사이의 관계가 나머지와 다른 하나에 ×표 하시오.

(1) '마을'과 '동네'   (   )
(2) '쉽다'와 '어렵다'   (   )
(3) '가볍다'와 '무겁다' (   )

6 다음 글에서 틀린 낱말에 밑줄을 긋고 고쳐 쓰시오.

> 김치찌게 끓이는 법
>
> • 알맞게 익은 김치를 준비합니다.
> • 돼지고기 앞다리 부위를 준비합니다.
> • 돼지고기를 볶다가 김치와 국물을 넣고 푹 끓입니다.

(   )

7 밑줄 그은 낱말 중, 바른 것은 무엇입니까?

(   )

① 내 동생은 못 말리는 고집장이입니다.
② 다음 날 소풍을 가서 참 설레였습니다.
③ 설레임을 가득 안고 새집으로 이사 갑니다.
④ 삼촌은 도배쟁이 일을 시작해서 돈을 잘 법니다.
⑤ 할아버지께서는 아주 솜씨가 좋은 양복장이로 유명하셨습니다.

8 오른쪽 풍선 속에 들어 있는 '공기'는 어떤 상태에 해당하는지 기호를 쓰시오.

> ㉠ 고체   ㉡ 액체   ㉢ 기체

(   )

9 '서해', '동해', '남해'에 쓰인 '해' 자를 한자로 알맞게 쓴 것은 무엇입니까? (   )

① 水   ② 木
③ 山   ④ 海
⑤ 島

10 다음 중 빈칸에 '山'을 쓸 수 없는 낱말 카드는 어느 것입니까?⸺(   )

① 등◯   ② ◯림
③ 화◯   ④ 밥◯
⑤ ◯신령

창의·융합·코딩 ❶

속담 플러스

가랑비에 옷 젖는 줄 모른다

 이를 닦지 않는 것이 습관이 되면 자신도 모르는 사이에 튼튼했던 이들이 썩고 말겠지요? 가랑비에 옷 젖는 줄 모른다는 속담은 작고 사소한 일이 반복된다면 큰 일이 될 수도 있다는 뜻을 나타내지요. 가늘게 내리는 가랑비를 맞을 때에는 모르지만 오랫동안 가랑비를 맞게 되면 온몸이 다 젖을 수도 있기 때문이에요.

사고 쑥쑥

1 다음 일기 예보를 보고, 중부 지방과 남부 지방의 날씨가 어떻게 바뀔지 코딩 규칙 에 따라 흰색 칸에 화살표를 표시해 보세요.

규칙
· 중부 지방에서 시작할 때에는 ➡ 와 ⬇ 만 사용하여 이동합니다.
· 남부 지방에서 시작할 때에는 ⬅ 와 ⬆ 만 사용하여 이동합니다.

오늘의 날씨를 말씀드리겠습니다.
중부 지방은 오전부터 장대비가 내리겠습니다.
차차 비의 양이 줄어들어 일부 지역은 소나기가
내리는 곳도 있겠습니다.
남부 지방은 아주 가느다란 비로 시작하여
안개가 낀 것처럼 보이다가, 곧 개겠습니다.
갠 뒤에는 햇살이 비칠 때에도 비가
잠깐 내리다가 그치겠습니다.

시작

중부 지방		장대비		가랑비	
					여우비
장맛비		소나기			
			가랑비		안개비
안개비					
	장대비		여우비		남부 지방

시작

2 다음 **힌트** 에서 알맞은 설명이 적힌 숫자를 찾아 네모칸에 색칠을 하고, 어떤 글자가 나타
나는지 써 보세요.

 힌트

① 이름을 나타내는 말에는 '자다', '먹다', '보다' 등이 있다.

② 형태나 상태를 나타내는 말에는 '맑다', '예쁘다' 등이 있다.

③ 뜻이 비슷한 두 낱말을 '비슷한말'이라고 한다.

④ '가다'와 '오다'는 서로 뜻이 반대 관계에 있다.

⑤ 낱말이 모여서 한 줄 한 줄의 뜻을 가진 '문단'이 만들어진다.

⑥ 한 줄 한 줄의 문장이 모이면 '문단'이라는 작은 글 토막이 된다.

⑦ '가늘다'의 반대말은 '두껍다'이다.

⑦	③	②	⑥	②	③	⑤
①	④	⑤	①	⑦	⑤	①
⑤	⑥	③	②	④	⑥	⑦
⑦	⑤	①	④	⑦	①	⑤
⑥	③	④	②	③	④	⑥
①	②	⑤	①	⑦	①	⑤
⑦	④	⑥	③	②	④	⑦

색칠해서 만들어진 글자 ☐

논리 탄탄

1 유나와 은지의 문자 대화를 읽고, ㉠ 과 ㉡ 에 들어갈 알맞은 낱말을 글자 카드에서 찾아 각각 쓰세요.

Talk Talk

🕐 ◯ 📶 ⓘ100%

유나: 며칠만 있으면 우리도 새 학년이 되는구나.
너도 ㉠ 않니?

은지: 맞아, 나도 기분이 이상해.

유나: 이제 개구장이 소리 듣지 않도록 조금 더 어른스러워져야겠어.

은지: 개구장이라니, 틀렸잖아~
㉡ 라고 해야 맞는 말이지.

유나: 앗, 작은 실수도 놓치지 않는구나.
역시 우등생답네.

은지: 칭찬해도 과자 안 사 줘~ 이따가 톡 하자.

개	순	쟁	어	떡	구
만	레	부	장	대	설
이	묵	두	지	전	추

(1) ㉠ : ( )   (2) ㉡ : ( )

2 다음 설명을 살펴보고, 규칙 에 적힌 번호 순서에 따라 칸을 움직여요. 도착하는 칸의 한자를 따라 쓰고, 음과 뜻도 써 보세요.

규칙

1️⃣ '찌게'는 틀린 말이므로, '김치찌개'처럼 써야 한다.

2️⃣ 여러 개의 물건을 겹겹이 포개어 얹어 놓을 때 '싸다'를 쓴다.

3️⃣ '심술쟁이'는 틀린 말이므로, '심술장이'로 써야 한다.

4️⃣ '설레임'이라고 쓰면 틀리고, '설렘'이라고 써야 한다.

5️⃣ 물건을 안에 넣고 보이지 않게 씌워 가릴 때 '쌓다'를 쓴다.

6️⃣ '동네'의 비슷한말은 '마을'이다.

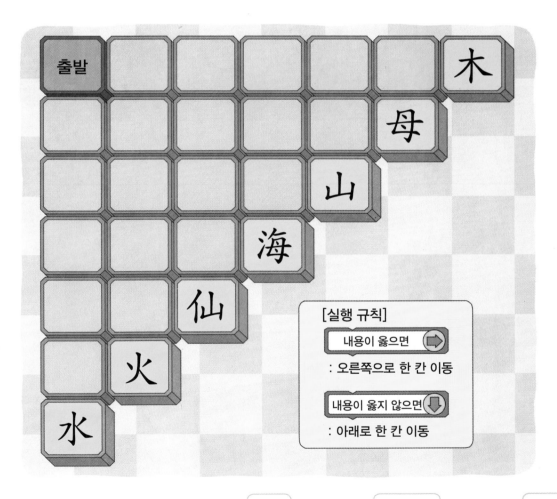

(1) 도착한 칸의 한자: ☐　　(2) 뜻: ☐　　(3) 음: ☐

3주

3주에는 무엇을 공부할까? ❶

1일 주제 어휘 > 몸과 관련된 말

상반신
하반신
정수리
목덜미
오금
정강이
복숭아뼈

2일 교과 어휘 국어 > 문장 부호

쉼표
마침표
물음표
느낌표
큰따옴표
작은따옴표

3일 **알쏭 어휘 > 나는…**

할게 / 할께
나는 / 날으는
썩이다 / 썩히다
매다 / 메다

4일 **교과 어휘 사회 > 문화와 관련된 말**

문화
유산
문화유산
유형 문화유산
무형 문화유산

5일 **한자 어휘 > 內안 내 外바깥 외**

실내
내부
차내
실외
해외
외교

주제 어휘 1 몸과 관련된 말

우리 몸과 관련된 말이 <u>아닌</u> 것에 ×표 하세요.

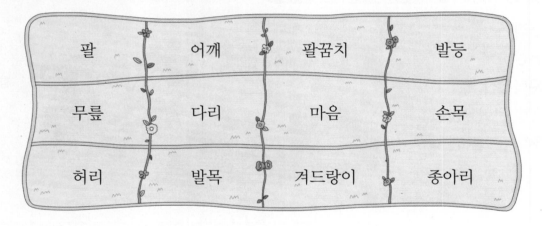

팔	어깨	팔꿈치	발등
무릎	다리	마음	손목
허리	발목	겨드랑이	종아리

교과 어휘 2 [국어] 문장 부호

문장에 쓰인 빨간색 문장 부호는 어떤 경우에 쓰일지 생각하여 알맞은 것에 ○표 하세요.

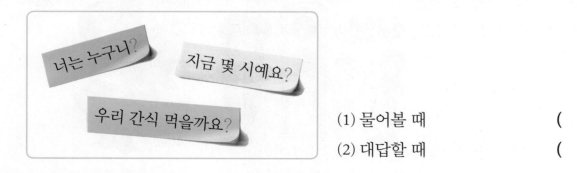

너는 누구니?

지금 몇 시예요?

우리 간식 먹을까요?

(1) 물어볼 때   (　　　)

(2) 대답할 때   (　　　)

[사회] 문화와 관련된 말

3 다음과 같이 조상들이 물려준 사물이나 문화를 가리키는 말에 ○표 하세요.

▲ 금관   ▲ 고려청자   ▲ 탈춤

| 유감 | 유산 | 재산 | 상속 |

內 안 내　外 바깥 외

4 낱말의 뜻으로 보아, 밑줄 그은 '내'는 어떤 뜻일지 알맞은 말에 ○표 하세요.

- 실내: 집이나 건물, 방의 안.
- 차내: 자동차나 기차, 버스의 안.

➡ '내'는 어떤 것의 (안쪽 / 바깥쪽)을 뜻하는 말이다.

1일
주제 어휘

몸과 관련된 말

어?
이게 뭐지?

잘 봐.
이렇게 재활용품을
주면 정수리의 뚜껑이
열리고 물건을
인식하지.

둥~!

지.이잉!

스윽

종이라고
표시됐어요!

음!
팔뚝과 손목의
움직임까지 완벽해!

쓰레기 분리수거
로봇 완성!

팟

종이

끄덕

짜잔~

이제
하반신을
조립할
차례!

끼릭

찍—

!!!

오금 부분에
기름을
칠하면……

와!
고양이다!

오늘의
어휘

팔뚝 / 손목 / 하반신 / 정수리 / 오금

팔뚝은 아래팔, 손목은 손과 팔이 잇닿은 부분, 하반신은 허리 아랫부분.

정수리 ➡ 머리 맨 위의 가운데.

오금 ➡ 무릎 안쪽 부분.

오늘의 어휘

정강이

정강이는 무릎 아래에서 앞 뼈가 있는 부분.

예 시냇물을 건너려고 <u>정강이</u> 위까지 바지를 걷어 올렸다.

몸과 관련된 말

'정수리'는 어디를 말하는 것일까? 자주 사용하지만 정확히 우리 몸의 어느 부분을 가리키는지 잘 모르는 말들이 많아. 우리 몸과 관련된 말들을 알아보자.

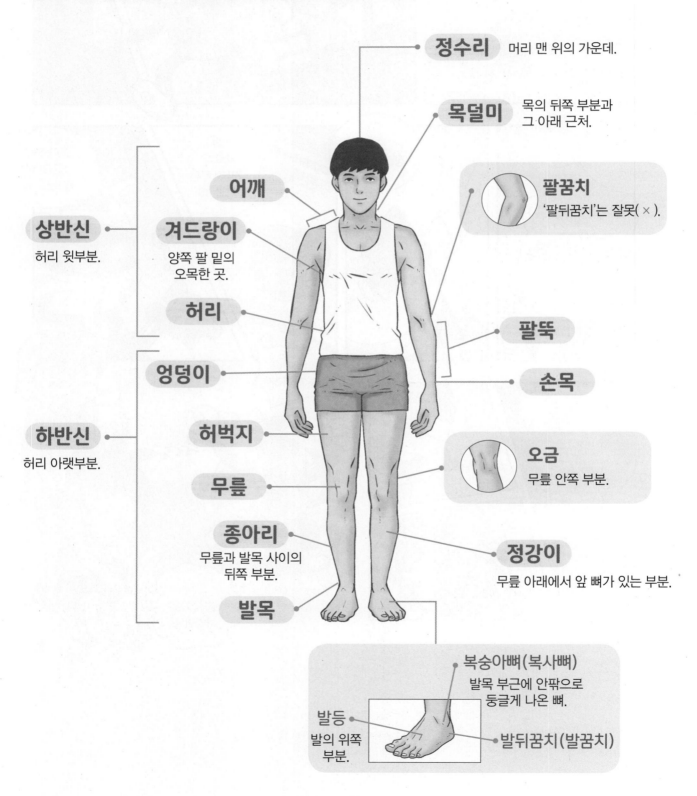

정수리 머리 맨 위의 가운데.

목덜미 목의 뒤쪽 부분과 그 아래 근처.

팔꿈치 '팔뒤꿈치'는 잘못(×).

어깨

겨드랑이 양쪽 팔 밑의 오목한 곳.

상반신 허리 윗부분.

허리

팔뚝

손목

엉덩이

하반신 허리 아랫부분.

허벅지

오금 무릎 안쪽 부분.

무릎

종아리 무릎과 발목 사이의 뒤쪽 부분.

정강이 무릎 아래에서 앞 뼈가 있는 부분.

발목

복숭아뼈(복사뼈) 발목 부근에 안팎으로 둥글게 나온 뼈.

발등 발의 위쪽 부분.

발뒤꿈치(발꿈치)

우리말에는 몸과 관련된 속담이나 관용 표현들이 많아. 그중에서 몇 가지를 살펴볼까?

믿는 도끼에 발등 찍힌다

도끼질을 하다가 도끼날이 발등에 떨어지면 무척 아플 거야. 도끼날을 믿고 자신 있게 휘둘렀다가 당하니까 더 아프겠지?
이처럼 믿고 있던 일이 어긋나 오히려 해를 입게 되는 것을 뜻하는 속담이야.

오금이 저리다

오금은 무릎 뒤 오목한 안쪽 부분이야. 잘못을 저질러서 오랫동안 무릎을 구부리고 숨어 있으면 이 부분이 아프고 힘이 들겠지?
그래서 저지른 잘못이 들통날까 봐 마음을 졸이는 것을 '오금이 저리다'라고 해.

정수리에 부은 물이 발뒤꿈치까지 흐른다

물은 위에서 아래로 흘러. 정수리에 물을 부으면 발까지 흘러내리겠지? '정수리에 부은 물이 발뒤꿈치까지 흐른다'는 말은 윗사람이 나쁜 짓을 하면 그 영향이 아랫사람까지 물처럼 흐르게 된다는 것을 이르는 말이야.

1 몸과 관련된 낱말을 잘못 쓴 문장은 어느 것입니까? ⋯⋯⋯⋯⋯⋯⋯⋯⋯⋯⋯⋯(   )

① 야구 선수가 팔뒤꿈치를 다쳤다.

② 발뒤꿈치를 들고 살금살금 걸었다.

③ 추워서 발등을 완전히 덮는 신발을 샀다.

④ 돌부처의 상반신을 찾는 발굴 조사가 시작되었다.

⑤ 아버지께서 정수리 머리카락이 빠진다고 걱정하신다.

2 다음에서 설명하는 낱말로 알맞은 것을 두 가지 골라 ○표 하시오.

> 발목 부근에 안팎으로 둥글게 나온 뼈.

(복숭아뼈 / 복숭뼈 / 복사뼈   )

3 다음 낱말의 첫 자음자와 뜻을 보고 어휘를 완성하여 쓰시오.

(1)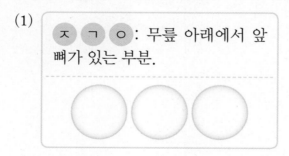

(2)

4 몸과 관련된 낱말 중 다음 상황에 알맞은 말을 빈칸에 써넣으시오.

> 동생이 가장 아끼는 로봇 장난감이 있어. 동생이 없는 사이에 내가 그것을 가지고 놀다가 그만 로봇 장난감의 팔이 망가졌어. 접착제로 붙여 놓기는 했지만 동생이 알까 봐 가슴이 두근거려.

☐☐ 이 저리다

5 다음과 같은 뜻을 가진 속담의 빈칸에 들어갈 알맞은 말은 무엇입니까?········(   )

> 믿고 있던 일이 어긋나
> 오히려 해를 입게 됨.

→ 믿는 도끼에 [   ] 찍힌다

① 손목   ② 발목   ③ 발등   ④ 발바닥   ⑤ 발뒤꿈치

6 다음에서 설명하는 낱말을 말 상자의 가로, 세로, 대각선에서 모두 찾아 ○표 하시오.

1 발의 위쪽 부분.
2 양쪽 팔 밑의 오목한 곳.
3 무릎과 발목 사이의 뒤쪽 부분. 예 ○○○에 회초리를 맞다.
4 허리 아랫부분. '상반신'의 반대말.
5 손과 팔이 잇닿은 부분. [참고] 다리와 발이 잇닿은 부분은 '발목'.

2일

교과 어휘 국어

문장 부호

오늘의 어휘

문장 부호

문장 부호는 문장의 뜻을 정확히 전달하고, 문장을 읽고 이해하기 쉽도록 쓰는 부호.

예 쉼표(,), 마침표(.), 물음표(?), 느낌표(!) 등

오늘의 어휘

쉼표 / 마침표 / 물음표 / 느낌표 / 큰따옴표 / 작은따옴표

쉼표	마침표	물음표	느낌표	큰따옴표	작은따옴표
,	.	?	!	" "	' '

쉼표 » 작은따옴표

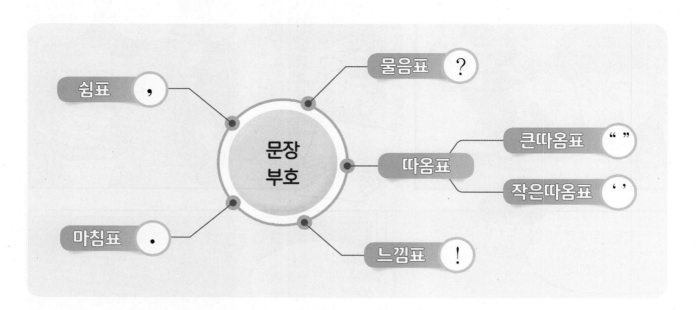

쉼표 (,)

쉼을 나타내는 **표**

누구를 부르는 말 뒤에 쓰거나, 잠시 쉬어야 할 부분에 쓰는 문장 부호를 '쉼표'라고 해. '하나, 둘, 셋, 넷'처럼 여러 가지를 늘어놓을 때에도 쓰지.

예 준영아, 얼른 일어나!

예 곤충은 머리, 가슴, 배로 나눌 수 있습니다.

🔊 쉴 때는 쉼표, 문장을 마칠 때는?

마침표 (.)

마침을 나타내는 **표**

'마침표'는 풀이하는 문장의 끝에 써. 문장을 끝낼 때 마침표를 빠뜨리면 문장이 끝나지 않은 것처럼 보일 수 있으니 꼭 써야 해.

예 재윤이는 학교 운동장에서 축구를 하였습니다.

🔊 묻는 문장의 끝에 쓰는 문장 부호는?

물음표 (?)

물 음을 나타내는 **표**

물어보는 문장의 끝에는 '물음표'를 써. 묻는 문장뿐만 아니라 의심스러운 마음을 나타낼 때, 적당한 말을 하기가 어려울 때에도 물음표를 쓰지.

예 내일 준비물이 무엇인지 아니?

예 설마 아이스크림을 혼자 다 먹은 것은 아니겠지?

🔊 느낌을 나타내는 문장의 끝에는?

느낌표 (!)

느 낌을 나타내는 **표**

느낌을 나타내는 문장의 끝에는 '느낌표'를 써. 큰 소리로 "네!" 하고 대답할 때나 깜짝 놀란 느낌을 나타낼 때에도 느낌표를 쓰면 더 실감 나지.

예 오늘 날씨가 참 좋구나!

예 네가 먼저 잘못했잖아!

🔊 대화나 속마음을 나타낼 때는?

큰따옴표(" ")/작은따옴표(' ')

큰따옴표는 대화를 나타낼 때 써. 그리고 작은따옴표는 속으로 한 말을 나타낼 때 쓰는 문장 부호야. 큰따옴표와 작은따옴표는 모두 문장을 시작하는 부분과 끝나는 부분에 함께 써.

예 '아버지의 눈을 뜨게 할 수만 있다면……'

예 "아이고, 청아! 네가 인당수에 몸을 던지다니!"

1 문장 부호에 해당하지 <u>않는</u> 것은 어느 것입니까? ⸺⸺⸺⸺⸺⸺⸺⸺ (   )

① 쉼표   ② 음표   ③ 마침표   ④ 물음표   ⑤ 느낌표

2 다음 문장 부호의 이름을 찾아 선으로 이으시오.

(1) ▢ (.)　　·

(2) ▢ (,)　　·

(3) ▢ (" ")　　·

　　　　· ① 쉼표

　　　　· ② 마침표

　　　　· ③ 물음표

　　　　· ④ 큰따옴표

3 작은따옴표에 대한 설명으로 알맞은 것은 어느 것입니까? ⸺⸺⸺⸺⸺⸺ (   )

① 묻는 문장의 끝에 쓴다.

② 부르는 말 다음에 쓴다.

③ 실제 대화를 나타낼 때 쓴다.

④ 마음속으로 한 말을 나타낼 때 쓴다.

⑤ 느낌을 나타내는 문장의 끝에 쓴다.

4 빈칸에 알맞은 문장 부호를 써넣으시오.

(1) 세현아 ▢ 학교에 같이 갈까 ▢

(2) 문방구에 가서 색종이 ▢ 가위 ▢ 풀을 샀습니다 ▢

5 빨간색 문장 부호의 이름을 글자 카드에서 찾아 쓰시오.

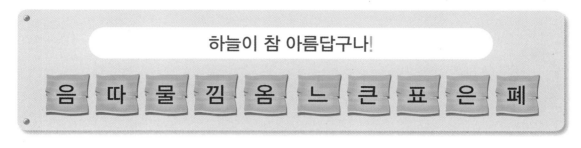

하늘이 참 아름답구나!

음　따　물　낌　옴　느　큰　표　은　폐

☐ ☐ ☐

6 힌트 를 보고 떠오르는 문장 부호의 이름을 쓰시오.

(1) 힌트
- 문장의 끝
- 궁금할 때
- 의심스러울 때
- 조심스럽게 권할 때

☐ ☐ ☐

(2) 힌트
- 대화
- 직접 한 말
- 문장의 시작과 끝

☐ ☐ ☐ ☐

7 말 상자의 가로, 세로, 대각선에서 문장 부호 이름 네 가지를 모두 찾아 ○표 하시오.

데	개	쉼	표	약	문	강	물	지	달
마	여	☆	고	느	장	어	태	음	소
르	침	창	세	낌	부	맥	☆	요	표
트	버	표	카	표	호	기	장	주	요

❶ 할게 / 할께

Q 내가 할게가 맞을까요, 할께가 맞을까요?

A 내가 할게(◯)

어떤 일을 하겠다는 약속이나 의지를 나타낼 때에는 '−ㄹ게'라는 말을 써요. 그래서 어떤 일을 '하(다)+−ㄹ게'가 되므로 '할께'가 아니라 '할게'라고 써야 해요.

'갈게(갈께 ×)', '줄게(줄께 ×)'도 마찬가지예요.

㉠ 앞으로 약속 시간에 늦지 않겠다고 약속할게.

❷ 나는 / 날으는

Q 하늘을 나는, 하늘을 날으는, 어떤 것이 맞을까요?

A 하늘을 나는(　○　)

'날다'는 '날고, 날아서, 날지,……'와 같이 쓰여요. 그런데 '날' 뒤에 '는'이 오면 '날'의 받침 'ㄹ'을 빼고 '나는'으로 써야 해요. 흔히 '으'를 넣어서 '날으는'과 같이 쓰는 경우가 있는데 이것은 틀린 말이에요.

⑩ 하늘을 <u>나는</u> 슈퍼맨이 나오는 영화를 봤어.

 알쏭 어휘

③ 썩이다 / 썩히다

Q 속을 썩이다, 속을 썩히다, 어떤 것이 맞을까요?

어머, 내 정신 좀 봐. 채소를 다 썩히고 있었네! 어휴, 속상해!

어머나…

엄마, 너무 속상해하지 마세요. 그렇게 속을 썩이면 건강에 안 좋아요.

야옹~

음식물은 '썩히고', 속은 '썩이고' …….

A 속을 썩이다 (○) / 음식물을 썩히다 (○)

걱정으로 마음을 괴롭히고 아프게 만들면 '썩이다'를 쓰고, 나쁜 냄새가 나도록 음식물을 상하게 하면 '썩히다'를 써요.

㉐ 무슨 일로 그렇게 골치를 <u>썩이고</u> 있니?

㉐ 어디선가 생선을 <u>썩히는</u> 냄새가 나.

거름을 만들려고 음식물 쓰레기를 썩히고 있어.

엄마 뭐해요?!

❹ 매다 / 메다

3주

Q 가방을 매다, 가방을 메다, 어떤 것이 맞을까요?

다들 안전띠 매라.

가방 메고 안전띠를 매니까 불편해요.

어휴, 가방은 옆에 내려놔야지, 나처럼.

A 가방을 메다(○) / 안전띠를 매다(○)

'물건을 어깨나 등에 올려놓는다.'는 뜻으로는 '메다'를 쓰므로 '가방을 메다'가 맞아요. 반면에 '끈이나 줄의 두 끝을 묶다.'의 뜻으로는 '매다'를 쓰지요. 즉, 어깨에 걸치는 것은 '메다', 끈을 묶는 것은 '매다'예요.

㈎ 형은 볏단을 어깨에 메고 동생 집으로 갔다.
㈎ 운동화 끈을 단단히 매고 뛰어라.

가방은? 신발 끈은?

메다   매다

1 빈칸에 들어갈 알맞은 말은 어느 것입니까? ·· (   )

> 어젯밤에 하은이는 하늘을 [   ] 꿈을 꾸었다.

① 날은   ② 나는   ③ 날으는   ④ 날르는   ⑤ 나라는

2 다음은 찬세가 엄마께 쓴 글입니다. ㉠~㉢ 중에서 **틀린** 말을 찾아 기호를 쓰시오.

> 이제부터는 인사를 ㉠잘할게요. 숙제도 미루지 않고 미리 미리 ㉡할게요. 반찬 투정 부리는 일도 안 ㉢할께요.

(   )

3 밑줄 그은 말이 다음과 같은 뜻을 가진 문장에 ○표 하시오.

> 끈이나 줄의 두 끝을 서로 묶다.

(1) 가방을 너무 무겁게 <u>메는</u> 것은 좋지 않아요.   (   )

(2) 신발 끈을 단단히 <u>매고</u> 한번 달려 봅시다.   (   )

4 밑줄 그은 말이 바르게 쓰인 것은 어느 것입니까? ························· (   )

① 일이 제대로 되지 않아 속을 <u>썩혔다</u>.

② 어디선가 생선을 <u>썩이는</u> 냄새가 심하게 났다.

③ 음식물 쓰레기를 <u>썩히면</u> 거름으로 쓸 수 있다.

④ 작은 고민거리로도 속을 <u>썩히지</u> 말았으면 합니다.

⑤ 반찬을 냉장고에서 <u>썩이지</u> 말고 그때그때 꺼내 먹도록 해.

5 주어진 낱말을 활용하여 빈칸에 공통으로 들어갈 말을 쓰시오.

| 날다 | • 새들이 떼를 지어 [ ] 모습을 보았다.
• 푸른 하늘을 훨훨 [ ] 새들이 부러웠다. |

(   )

6 두 낱말의 뜻을 생각하여 문장에 알맞은 낱말을 골라 ○표 하시오.

아빠는 주말마다 배낭을   메고 (   ) / 매고 (   )   산에 오르십니다.

7 밑줄 그은 낱말을 바르게 고쳐 쓰시오.

(1) 부모님 속을 <u>썩히지</u> 말아야겠다고 다짐했다.

[ ][ ][ ]

(2) 잠깐만 쉬었다가 피아노 연습을 <u>할께요.</u>

[ ][ ]

문화와 관련된 말

* 홀로그램: 빛을 이용해 대상을 3차원으로 보여 주는 입체 사진.

오늘의 어휘

문화 / 문화유산

• 문화는 사람들이 살면서 만들어진 행동 양식이나 생활 양식. 사람들 사이에 만들어진 풍습, 종교, 학문, 예술, 제도 등을 모두 포함하는 말. 예 우리나라는 웃어른을 공경하는 문화가 있다.

• 문화유산은 조상 대대로 전해 내려온 문화 중에서 후손들에게 물려줄 만한 가치가 있는 것.

오늘의 어휘

유형 문화유산 / 무형 문화유산

유형 문화유산
➡ 형태가 있는 것

▲ 금관　　▲ 청자

무형 문화유산
➡ 형태가 없는 것

▲ 탈춤　　▲ 판소리

문화 » 무형 문화유산

문화

우리나라 사람들은 인사할 때 고개를 숙이지만 서양 사람들은 악수를 주로 해. 문화란 이처럼 그 사회를 살아가면서 배우고 굳어진 모든 생활양식을 말하는 것으로, 나라나 민족에 따라 다양하지.

인도 사람들은 손으로 음식을 먹는 문화가 있지.

🔊 조상들이 문화로 물려준 것은?

유산

조상들이 물려준 사물이나 문화를 '유산'이라고 해. 초가집, 한복, 전통 결혼식 등 조상들이 남겨 준 여러 가지 유산이 있지.
예 유네스코는 각 나라의 가치 있는 유산들을 '세계 유산'으로 정해 보호하고 있다.

유산을 살펴보면 조상들의 슬기를 알 수 있어.

▲ 불국사 다보탑

문화유산

🔊 문화와 유산을 합한 말은?

문화 유산

조상 대대로 전해 내려온 문화 중에서 다음 세대에게 물려줄 만한 가치가 있는 것을 문화유산이라고 해. 경복궁과 같은 건축물도 있고, 판소리와 같은 예술이나 기술도 있어.

수원 화성은 유네스코에서 세계 문화유산으로 지정한 곳이야.

▲ 수원 화성

유형 문화유산 / 무형 문화유산

'유형'과 '무형'의 '형(形)'은 모양이라는 뜻이야. 그래서 유형 문화유산은 도자기나 금관과 같이 형태가 있는 문화유산을 뜻하고, 무형 문화유산은 탈춤이나 판소리같이 형태가 없는 문화유산을 뜻해.

유 + 형 형 무 + 형
있다(有) 모양(形) 없다(無) 모양(形)
모양이 있음. 모양이 없음.

고려청자
고려 시대에 만든 푸른 빛깔의 자기.

불국사
경주 토함산 기슭에 있는 신라 시대의 절.

신라 금관
신라의 왕이 머리에 쓰던, 금으로 된 관.

성덕 대왕 신종
신라 시대에 만들어진 종.

유형 문화유산

무형 문화유산

풍물놀이
농촌에서 행해진 우리 고유의 음악.

탈춤
얼굴에 탈을 쓰고 추는 춤.

사물놀이
꽹과리, 장구, 징, 북의 네 가지 악기로 하는 연주.

판소리
북 장단에 맞춰 이야기를 노래로 부르는 전통 음악.

1 '문화'에 대한 설명으로 알맞지 <u>않은</u> 것은 어느 것입니까? ·····························(   )

① 살아가면서 배운다.

② 조상에게 물려받는다.

③ 형태가 있는 것만 가리킨다.

④ 나라나 민족에 따라 다양하다.

⑤ 문화의 다양성을 인정해야 한다.

2 다음 아이들이 말하는 것은 무엇인지 쓰시오.

문화 중에서 다음 세대에게 물려줄 만한 가치가 있는 것이야.

사물도 있고 기술도 있어.

3 다음 보기 의 문화유산을 유형 문화유산과 무형 문화유산으로 나누어 기호를 쓰시오.

보기

㉠ ▲ 석굴암

㉡ ▲ 풍물놀이

㉢ ▲ 고인돌 유적

㉣ ▲ 탈춤

(1) 유형 문화유산	(,)
(2) 무형 문화유산	(,)

4 가로, 세로 낱말에 대한 다음 설명을 보고 십자말풀이를 하시오.

→ 가로

❷ 조상 대대로 전해 내려온 문화 중에서 다음 세대에게 물려줄 만한 가치가 있는 것. 크게 유형 ○○○○과 무형 ○○○○이 있음.

❹ 네 사람이 각기 꽹과리, 징, 장구, 북을 가지고 어우러져 치는 놀이. 네 개의 악기를 사용해서 ⊙□ⓛ◎라고 함.

❼ 세 개의 선과 세 개의 각으로 이루어진 도형.

↓ 세로

❶ 우리나라의 국화. ⑩ ○○○, ○○○, 우리나라 꽃.

❷ 그 사회를 살아가면서 사람들 사이에 굳어진 모든 생활 양식. 혹은 그러한 과정을 통해 만들어진 모든 물건 따위를 가리키는 말. ⑩ 전통 ○○, 식사 ○○

❸ 농촌에서 농부들 사이에 행해진 우리 고유의 음악. 나발, 소고, 꽹과리, 북, 장구 등을 연주하고, 노래하고 춤추며 곡예를 곁들이기도 함. ㉤□ⓛ◎.

❺ 미끄럼틀이나 그네 등의 기구를 갖추어 두고 아이들이 놀 수 있게 만든 곳.

❻ 형태가 있다는 뜻으로, '무형'의 반대말.

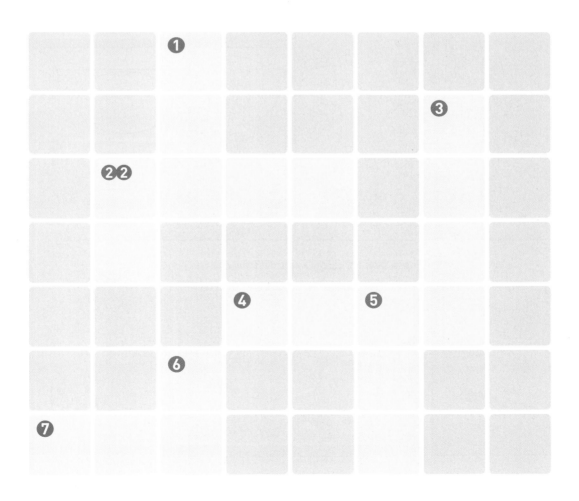

5일

內가 들어간 말

안 내

{ 집의 내부를 그린 것 같은 글자의 모양으로, 안쪽, 내부, 속을 뜻하는 글자예요. }

급수 ┃ 7급	부수 ┃ 入	획수 ┃ 총 4획

QR을 보며 따라 써요!

內
안 내

🔍 한자 획순을 알아보아요.

① 内 → ② 冂 → ③ 内 → ④ 内

한자를 쓰며 익혀요~!

3주

실 내 　 집이나 건물, 방의 안.

○ 날이 추워서 실내에서
　 머무는 시간이 늘었습니다.

室 内
집 실 　 안 내

내 부 　 어떤 것의 안쪽.

○ 상자 내부에 무엇이 있을지
　 궁금해요.

内 部
안 내 　 부분 부

차 내 　 자동차나 기차, 버스의 안.

○ 출근 시간이라 차내가
　 혼잡했습니다.

車 内
차 차 　 안 내

外가 들어간 말

外 바깥 외

아침에 점을 안 보고 '저녁(夕)'에 '점(卜)'을 보는 것은 예외적인 일이라고 해서 **예외**나 **바깥**, 겉을 뜻하게 되었어요.

| 급수 | 8급 | 부수 | 夕 | 획수 | 총 5획 |

外
바깥 외

🔍 한자 획순을 알아보아요.

QR을 보며 따라 써요!

①夕 → ②夕 → ③夗 → ④外 → ⑤外

한자를 쓰며 익혀요~!

실 외

집이나 건물의 바깥.

○ 봄이 되자 **실외** 활동이 많아졌습니다.

室	外
집 실	바깥 외

해 외

바다 바깥. 즉 우리나라가 아닌 다른 나라.

○ 온 가족이 **해외**여행을 다녀왔어요.

海	外
바다 해	바깥 외

외 교

다른 나라와 정치적, 경제적, 문화적 관계를 맺는 일.

○ 다른 나라와 **외교** 관계를 잘 맺는 일은 중요합니다.

外	交
바깥 외	사귈 교

1 다음 뜻을 가진 낱말은 어느 것입니까? ·· (   )

> 뜻 집이나 건물, 방의 안.

① 실외   ② 차내   ③ 실내   ④ 외부   ⑤ 실례

2 다음 낱말에 쓰인 '내'의 뜻은 무엇입니까? ·· (   )

> 내부

① 위   ② 안   ③ 아래   ④ 바깥   ⑤ 가운데

3 힌트 를 보고 다음 빈칸에 들어갈 알맞은 글자를 써넣으시오.

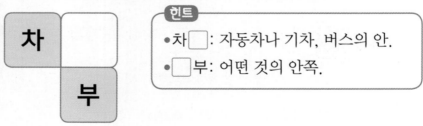

힌트
- 차☐ : 자동차나 기차, 버스의 안.
- ☐부: 어떤 것의 안쪽.

4 밑줄 그은 낱말을 한자로 바르게 쓴 것은 어느 것입니까? ······························· (   )

> 차내에서는 조용히 해 주세요.

① 內部   ② 室內   ③ 室外   ④ 海外   ⑤ 車內

5 밑줄 그은 한자어를 바르게 읽은 것은 어느 것입니까?·····························(   )

> 주연: 건물 내부에만 있었더니 답답한 것 같아.
> 하윤: 그럼 잠시 **室外**로 나가서 바람을 쐴까?

① 실외   ② 차내   ③ 실내   ④ 외부   ⑤ 해외

6 다음 낱말과 반대되는 뜻을 가진 낱말을 빈칸에 쓰시오.

실내	↔	

7 밑줄 그은 한자어를 바르게 읽은 것을 알맞게 이으시오.

(1) 우리나라와 미국은 **外交** 관계를 맺은 지 백 년도 훨씬 넘습니다.   •   • ① 해외

(2) 지방 자치 단체에서는 지역 농산물을 *海外*로 수출하기 위한 노력을 하고 있습니다.   •   • ② 외교

8 낱말의 뜻으로 보아, 빈칸에 공통으로 들어갈 알맞은 말은 무엇입니까?·······(   )

> • 실☐: 집이나 건물의 바깥.
> • 해☐: 바다 바깥. 즉 우리나라가 아닌 다른 나라.
> • ☐교: 다른 나라와 정치적, 경제적, 문화적 관계를 맺는 일.

① 내   ② 실   ③ 부   ④ 외   ⑤ 차

3주

1 다음 그림에서 몸과 관련된 낱말이 잘못 쓰인 것은 어느 것입니까? ( )

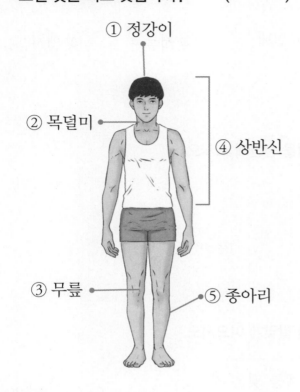

① 정강이
② 목덜미
④ 상반신
③ 무릎
⑤ 종아리

2 빈칸에 공통으로 들어갈 알맞은 낱말은 무엇입니까? ( )

[ ]은(는) 무릎 뒤 오목한 안쪽 부분을 가리키는 말입니다. 저지른 잘못이 들통날까 봐 마음을 졸이는 것을 '[ ]이(가) 저리다'라고 표현합니다.

① 어깨 ② 허리
③ 오금 ④ 종아리
⑤ 복사뼈

3 다음과 같은 뜻을 가진 속담은 무엇입니까? ( )

믿었던 일이 어긋나거나 믿고 있던 사람이 배반을 하여 오히려 해를 입게 됨.

① 믿는 도끼에 발목 다친다
② 믿는 도끼에 발등 찍힌다
③ 믿는 망치에 발등 찍힌다
④ 믿는 도끼에 발뒤꿈치 까인다
⑤ 무거운 도끼에 발가락 다친다

4 문장 부호의 이름을 알맞게 이으시오.

(1) [,] • • ① 물음표

(2) [?] • • ② 느낌표

(3) [!] • • ③ 쉼표

5 큰따옴표에 대한 설명으로 알맞은 것은 어느 것입니까? ( )

① 묻는 문장의 끝에 쓴다.
② 부르는 말 다음에 쓴다.
③ 실제 대화를 나타낼 때 쓴다.
④ 느낌을 나타내는 문장의 끝에 쓴다.
⑤ 마음속으로 한 말을 나타낼 때 쓴다.

6 빈칸에 들어갈 알맞은 낱말은 어느 것입니까?·····················(　)

> 이 거름은 음식물을 □□□ 만든 것입니다.

① 썩여서　　② 썩혀서
③ 석어서　　④ 썩어서
⑤ 썩히서

7 다음 그림에 어울리는 말을 알맞게 이으시오.

(1)
신발 끈을　　・

・① 메다

(2)
가방을　　・

・② 매다

8 다음 설명에 알맞은 낱말을 쓰시오.

> • 조상 대대로 전해 내려온 문화 중에서 다음 세대에게 물려줄 만한 가치가 있는 것.
> • 고려청자, 경복궁 같은 건축물이나 탈춤, 판소리 같은 예술 등.

□　□　□　□

9 다음 그림은 각각 무엇을 나타낸 것인지 보기 에서 알맞은 말을 골라 기호를 쓰시오.

보기
> ㉠ 유형 문화유산　㉡ 무형 문화유산

(1)
◀ 석굴암
(　)

(2)
◀ 탈춤
(　)

10 힌트 의 내용으로 보아, 빈칸에 들어갈 글자에 맞는 한자는 무엇입니까?·····(　)

힌트
> • 실□ : 집이나 건물의 바깥.
> • 해□ : 바다 바깥. 즉 우리나라가 아닌 다른 나라.

① 火　　② 水
③ 内　　④ 外
⑤ 山

속담 플러스

배보다 배꼽이 더 크다

 배꼽은 배의 한가운데에 있는 것으로 배 전체로 보면 작은 부분이지요. 그런 배꼽이 배보다 크다는 것은 뭔가 잘못된 것이겠지요? 왕자가 가져온 선물은 선물 자체보다 포장이 더 크고 거창했어요. 이처럼 중요하고 주된 것보다 그것에 딸린 것이 더 클 때 쓸 수 있는 속담이 배보다 배꼽이 더 크다예요.

창의·융합·코딩 ❷

사고 쑥쑥

1 다음 글의 ①~③에 들어갈 낱말의 순서대로 ◯에 코딩 명령어를 써넣으세요.

- 우리 몸에서 머리 맨 위의 가운데 부분을 '정수리'라고 합니다.
- 목덜미, 어깨, 겨드랑이 등 허리 윗부분을 ' ① '(이)라고 합니다.
- 무릎 아래에서 앞 뼈가 있는 부분을 ' ② '(이)라고 합니다.
- 무릎 뒤 오목한 안쪽 부분을 ' ③ '(이)라고 합니다.

코딩 명령어

→ 오른쪽으로 한 칸 이동   ← 왼쪽으로 한 칸 이동

↑ 위쪽으로 한 칸 이동   ↓ 아래쪽으로 한 칸 이동

코딩 규칙

- '정수리' 칸에서 시작해서 가장 가까운 길로만 움직여야 합니다.
- 한 번 지나온 길은 다시 갈 수 없습니다.

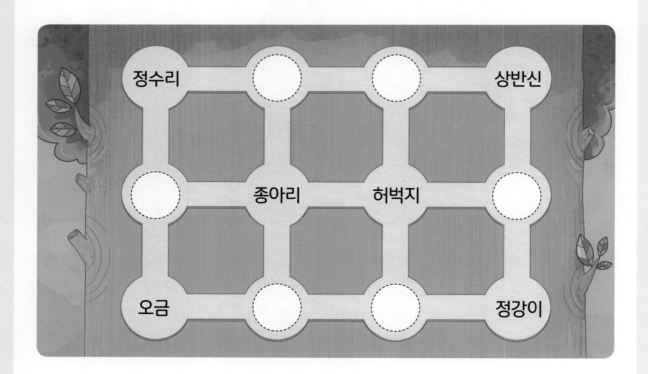

2 개미가 미로를 통과해 먹이 창고에 가려고 합니다. 밑줄 그은 낱말이 바르면 ○표, 바르지 않으면 ×표로 표시한 길을 따라가서 개미가 먹이 창고에 갈 수 있도록 선을 그리세요.

4주에는 무엇을 공부할까? ❶

1일 주제 어휘 > 맛을 나타내는 말

매콤하다
담백하다
떨떠름하다
짭조름하다
알싸하다
시큼하다

2일 교과 어휘 국어 > 예사말과 높임말

예사말
높임말
뵙다
모시다
드리다
계시다

3일 알쏭 어휘 〉 바람 …

바램 / 바람
빗 / 빚 / 빛
웃어른 / 윗어른
드러내다 /
들어내다

4일 교과 어휘 과학 〉 한살이와 관련된 말

한살이
동물의 한살이
식물의 한살이
한해살이
여러해살이

5일 한자 어휘 〉 出 날 출 入 들 입

출구
출발
출석
입구
입학
가입

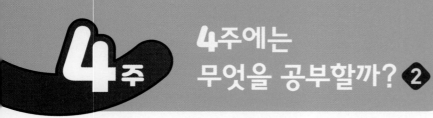

1 맛을 나타내는 말

케이크의 맛으로 알맞은 것에 ○표 하세요.

▲ 케이크

| 알싸하다 | 매콤하다 | 달콤하다 | 씁쓸하다 |

2 [국어] 예사말과 높임말

다음 문장에 알맞은 말을 골라 ○표 하세요.

(1) 선생님, (여쭈어볼 / 물어볼) 것이 있어요.

(2) 선생님을 공경하는 마음을 담아 (예사말 / 높임말)
을 써야 한다.

 빗 / 빚 / 빛

3 다음 문장에서 밑줄 그은 낱말을 바르게 고쳐 쓰세요.

초록빛 바닷물이 반짝반짝 <u>빗나고</u> 있다.

빗나고
↓

 [과학] 한살이와 관련된 말

4 다음 어휘의 첫 자음자와 뜻을 보고 빈칸에 들어갈 낱말을 쓰세요.

▲ 해마다 열매를 맺는 감나무

ㅇ ㄹ ㅎ 살이: 꽃이 피고 열매를 맺는 것을 해마다 반복하는 것

맛을 나타내는 말

오늘의 어휘

맛을 나타내는 말

맛을 나타내는 말 : 신맛, 단맛

신맛 : 시큼하다, 새콤하다   단맛 : 달짝지근하다, 달콤하다

4
주

오늘의 어휘

맛을 나타내는 말

맛을 나타내는 말 : 짠맛

짠맛 : 짭짤하다, 간간하다, 짭짜름하다

맛을 나타내는 말

맛과 관련된 우리말

레몬은 시고, 사탕은 달지?
그럼 조금 시고 조금 단 포도의 맛은 어떻게 표현할까? '새콤달콤한 포도!'
이렇게 맛을 나타내는 말은 아주 다양해. 한번 살펴볼까?

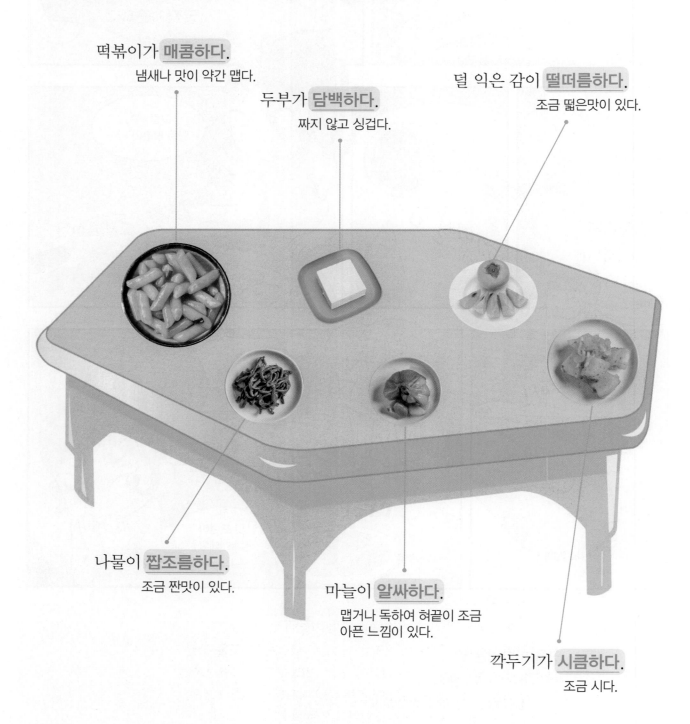

떡볶이가 **매콤하다**.
냄새나 맛이 약간 맵다.

두부가 **담백하다**.
짜지 않고 싱겁다.

덜 익은 감이 **떨떠름하다**.
조금 떫은맛이 있다.

나물이 **짭조름하다**.
조금 짠맛이 있다.

마늘이 **알싸하다**.
맵거나 독하여 혀끝이 조금
아픈 느낌이 있다.

깍두기가 **시큼하다**.
조금 시다.

맛을 나타낼 때 우리가 자주 사용하는 표현은 '달다, 짜다, 시다, 쓰다, 맵다' 등이 있어. 또 어떤 표현으로 맛을 나타낼 수 있을까?

단맛
달콤하다
달짝지근하다
다디달다

신맛
새콤하다
시큼하다
새큼하다

매운맛
매콤하다
얼큰하다
알알하다

쓴맛
쌉쌀하다
씁쓸하다
쌉싸래하다

짠맛
짭짤하다
간간하다
짭짜름하다

맛

 들어봤니?

✪ **매운맛은 맛이 아니라고?**

　매운 음식을 먹었을 때 느끼는 매운맛은 '맛'이 아니고 일종의 '아픔'이래.
　단맛, 짠맛, 신맛, 쓴맛은 혀에서 미각 세포(맛을 느끼는 세포)가 그 맛을 구분해서 느끼지만, 매운맛은 입속 피부가 아픈 자극을 받는 거라서 '맛'이 아니라는 거야. 피부를 꼬집으면 아픔을 느끼는 것처럼 매운 음식을 먹으면 고통을 느끼는 것뿐인데 우리는 이러한 고통을 '매운맛'으로 표현하고 있는 거지.

역시 매운맛은 '고통'이었어!

기초 집중연습

1 다음 중 나타내는 맛이 나머지와 다른 표현 한 가지에 ○표 하시오.

(1) | 매콤하다 | 알알하다 | 얼큰하다 | 새콤하다 |

(2) | 쌉쌀하다 | 쌉싸래하다 | 시큼하다 | 씁쓸하다 |

(3) | 달콤하다 | 알싸하다 | 달짝지근하다 | 다디달다 |

2 보기 의 표현과 관련된 맛은 무엇입니까? .... (   )

보기
| 간간하다 | 짭조름하다 | 짭짤하다 |

① 단맛   ② 짠맛   ③ 신맛
④ 쓴맛   ⑤ 매운맛

3 덜 익은 감의 맛으로 알맞은 것은 어느 것입니까? ·····(   )

① 매콤하다   ② 간간하다
③ 짭짤하다   ④ 담백하다
⑤ 떫떠름하다

4 다음 먹거리에 어울리는 맛 표현을 한 가지만 쓰시오.

(1) 귤: _____

(2) 된장국: _____

(3) 초콜릿 아이스크림: _____

5 숲속에 여러 가지 과일과 음식이 숨어 있습니다. 다음 먹거리의 맛을 나타내는 알맞은 표현을 따라 빵집까지 가는 길을 그려 보시오.

예사말과 높임말

재는 무슨 생각을 할까요?

글쎄? 아, 맞다!

동물 말 번역기?

동물의 소리를 번역해 주지.

멍멍멍!

재밌겠다!

나비야~

야옹!

주무시는 거 안 보여?

뽕!

ㅋㅋㅋ..

널 아랫사람으로 생각하나 봐.

15살이면 윗사람이긴 하지.

쓰담

그르릉

오늘의 어휘

높임말

높임말 : 사람이나 사물을 높여서 이르는 말.

'자다'의 높임말 '주무시다'

예 아버지께서 소파에서 <u>주무신다</u>.

4
주

오늘의
어휘

높임말

'물어보다'의 높임말 '여쭈어보다'

예 선생님, <u>여쭈어볼</u> 것이 있어요.

예사말과 높임말

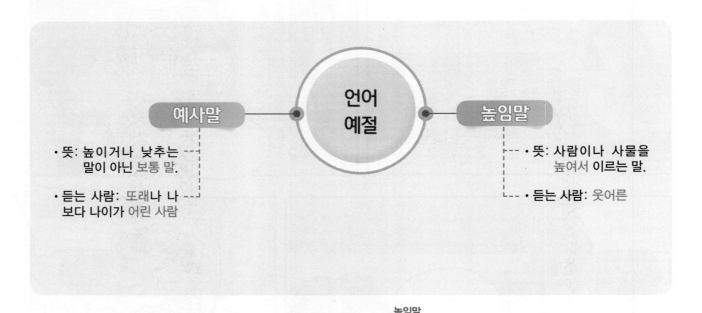

언어 예절

예사말
- 뜻: 높이거나 낮추는 말이 아닌 보통 말.
- 듣는 사람: 또래나 나보다 나이가 어린 사람

높임말
- 뜻: 사람이나 사물을 높여서 이르는 말.
- 듣는 사람: 웃어른

높임말

높임말

높 임 의 뜻이 있는 말

높임말은 주로 웃어른께 공경하는 마음을 담아 하는 말이야.
할아버지, 할머니, 부모님, 선생님 등 웃어른께는 높임말을 써야 해. 웃어른을 존중한다는 뜻으로 '존댓말'이라고 하기도 하지.
높임말을 사용하는 방법은 여러 가지가 있어.

안녕히 주무셨어요?

말끝을 '-요'나 '-습니다'로 끝내기	이 책이 재미있을 것 같아. → 어머니, 이 책이 재미있을 것 같아요. → 선생님, 이 책이 재미있을 것 같습니다.
'께서'나 '-시-'를 붙이기	할머니가 집에 온대. → 할머니께서 집에 오신대.
높임의 뜻이 있는 다른 낱말을 사용하기	선생님께 물어봐야지. → 선생님께 여쭈어봐야지.

예사말

높이지 않고 **예 사** 로 하는 **말**

예사말은 또래나 나이가 어린 사람에게 보통으로 하는 말이야. 가깝고 편한 사이끼리 높이거나 낮추지 않고 하는 말이지. 우리가 평소에 친구나 동생에게 편하게 하는 말들이 예사말이야.

예사말과 높임말

낱말 중에는 높임의 뜻이 있는 특별한 것들이 있어. 예사말과 모양이 다르니까 주의해서 알아 두면 좋겠지?

예사말 어제 민호를 봤어.
높임말 어제 선생님을 뵈었어.

예사말 동생에게 과자를 주었어.
높임말 삼촌께 양말을 드렸어요.

예사말 지금 집에는 동생이 있어.
높임말 지금 집에는 할머니께서 계세요.

예사말 민호야, 물어볼 것이 있어.
높임말 선생님, 여쭈어볼 것이 있어요.

예사말 식당에 친구를 데려갔어.
높임말 식당에 할아버지를 모시고 갔어.

예사말 동생이 거실에서 잔다.
높임말 아버지께서 소파에서 주무신다.

1 다음 중 높임말로 말해야 하는 사람이 <u>아닌</u> 것은 누구입니까?·················(   )

① 동생   ② 부모님   ③ 선생님   ④ 할머니   ⑤ 할아버지

2 다음이 예사말에 대한 설명이면 '예'를, 높임말에 대한 설명이면 '높'을 쓰시오.

(1) 가깝고 편한 사이끼리 친근함을 표시하는 말이다.

(   )

(2) 공경하는 마음을 담아 하는 말로, '존댓말'이라고도 한다.

(   )

3 다음 중 듣는 사람과 할 말이 바르게 연결되지 <u>않은</u> 것은 어느 것입니까?······(   )

	듣는 사람	할 말
①	할머니	"안녕히 주무세요."
②	짝	"수업 마치고 같이 놀이터에 가서 놀자."
③	어머니	"이 책이 재미있을 것 같아."
④	선생님	"선생님, 여쭈어볼 게 있어요."
⑤	짝	"할아버지를 뵈러 시골에 다녀왔어."

4 다음 빈칸에 알맞은 말을 써넣어 예사말과 높임말을 짝 지으시오.

(1) 있다 — [   ]   (2) 보다 — [   ]

(3) 물어보다 — [   ]   (4) 주다 — [   ]

5 글자를 골라 문장에 알맞은 어휘를 쓰시오.

(1) 어머니께서 거실에서 책을 읽고 ☐☐☐.

(2) 이 양말을 삼촌께 ☐☐☐☐ 샀어요.

(3) 추석을 맞아 할머니를 ☐☐ 갔다.

(4) 할아버지께서 거실에서 ☐☐☐☐.

❶ 바램 / 바람

Q 나의 바램이 맞을까요, 나의 바람이 맞을까요?

A 나의 바람 (○)

　흔히 원하는 것을 말할 때 "나의 바람은 무엇이에요."와 같은 말을 하지요? 하지만 '바램'은 '바람'의 잘못된 표현이에요. '바라다'가 바른 표현이므로 '바람'이 맞는 말입니다.

例 우리 가족이 건강하게 지내는 것이 내 바람이야.

② 빗 / 빚 / 빛

Q 어두울 때, 뭐가 필요해? 빗? 빚? 빛?

A 어두울 때는 빛 (○   )

'빗'은 머리카락을 빗을 때 쓰는 도구이고, '빚'은 남에게 갚아야 할 돈이나 은혜를 말해요. '빛'은 눈이 물체를 볼 수 있게 하는 밝음을 뜻해요. 모두 소리는 같지만 받침에 따라 전혀 다른 뜻으로 쓰이는 낱말이니까 주의해서 써야 해요.

③ 웃어른 / 윗어른

Q 웃어른이 맞을까요, 윗어른이 맞을까요?

A 웃어른 (○)

'윗사람, 아랫사람'처럼 위와 아래를 구분할 수 있는 말에는 '윗'을 붙이지만 위, 아래 대립이 없는 말에는 '웃'을 붙여요. '아래 어른'은 없으니까 '웃어른'이 맞는 표현이랍니다.

예)
웃돈 (○) 윗돈 (×)
웃통 (○) 윗통 (×)

❹ 드러내다 / 들어내다

4주

Q 이를 드러내는 것이 맞을까요, 들어내는 것이 맞을까요?

A 이를 드러내다 (○)

'드러내다'는 보이지 않던 것을 보이게 할 때 쓰는 말이에요. '들어내다'는 물건을 들어서 밖으로 옮기는 것을 말해요. 입안에 감춰져 있던 이는 보이지 않던 것을 보이게 하는 것이니 '드러내다'가 맞는 표현이에요.

예 네 진짜 속마음을 드러내 봐.

1 다음 문장의 밑줄 그은 말이 알맞지 <u>않은</u> 것은 무엇입니까?·······(   )

① 나의 <u>바람</u>이 이루어지면 좋겠다.

② 나리는 항상 <u>웃어른</u>들께 예의가 바르다.

③ 길을 막고 있던 커다란 상자를 <u>들어냈다</u>.

④ 동생이 거짓말을 했다는 사실이 <u>드러났다</u>.

⑤ 크리스마스 장식들이 반짝반짝 <u>빛</u>나고 있다.

2 다음 빈칸에 들어갈 말로 알맞은 것을 찾아 선으로 이으시오.

(1) [　　　　] 어른을 공경하자. •

(2) 넌 아랫사람이고, 난 [　　] 사람이야. •

• ① 윗

• ② 웃

3 빈칸에 들어갈 알맞은 말은 어느 것입니까?·······(   )

> 편지를 써서 미안한 마음을 [A].
> 설날에는 [B]이나 친척을 찾아가 세배를 한다.

① [A] : 드러냈다, [B] : 윗어른

② [A] : 드러냈다, [B] : 웃어른

③ [A] : 들어냈다, [B] : 윗어른

④ [A] : 들어냈다, [B] : 웃어른

⑤ [A] : 드뤄냈다, [B] : 윗어른

4 다음 ( ) 안에 공통으로 들어갈 말에 ○표 하시오.

> • 심청의 ( )은 아버지께서 눈을 뜨는 것이다.
>
> • 동생의 ( )대로 산타 할아버지께서 선물을 주셨다.
>
> • 나의 ( )은 긴 항해에 나가신 아버지께서 무사히 돌아오시는 것이다.

(바램 / 바람)

5 다음 낱말의 뜻으로 보아 ☐에 '웃'이 들어가는 말은 무엇입니까?⋯⋯⋯⋯⋯( )

① ☐집 – 위쪽에 있는 집.

② ☐입술– 위에 있는 입술.

③ ☐마을 – 위쪽에 있는 마을.

④ ☐도리 – 허리 위쪽에 입는 옷.

⑤ ☐돈 – 본래의 값에 덧붙이는 돈.

> **힌트**
>
> '윗니, 아랫니'와 같이 위, 아래가 대립되는 반대말이 있으면 '윗'을 쓰고, 반대말이 없으면 '웃'을 씀.

6 보기 의 '빗', '빛', '빚' 중 알맞은 낱말을 골라 빈칸에 써넣으시오.

(1) 창문으로 강한 ☐ 이 들어와서 눈이 부셔요.

(2) 머리가 헝클어져서 엉망이네. ☐ 으로 좀 빗어.

(3) '말 한마디에 천 냥 ☐ 도 갚는다'는 속담은 말만 잘하

면 힘들고 어려운 일도 해결할 수 있다는 뜻이야.

보기

빗

빛

빚

한살이와 관련된 말

오늘의 어휘

동물의 한살이

동물의 한살이 : 동물이 태어나 성장하여 자손을 남기고 죽는 과정.

4
주

오늘의 어휘

한해살이 / 여러해살이

한해살이: 한해동안 한살이를 거치는 것.

여러해살이: 꽃이 피고 열매를 맺는 것을 해마다 반복하는 것.

한살이 ≫ 여러해살이

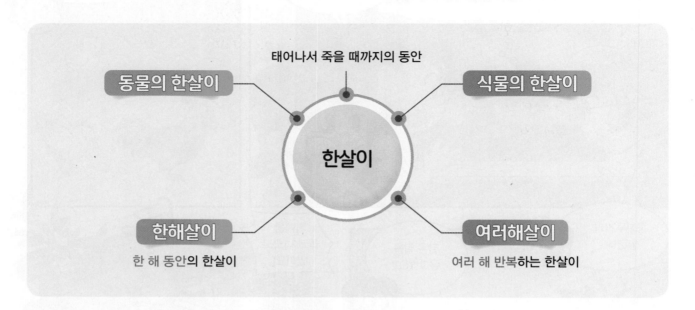

동물의 한살이 ── 태어나서 죽을 때까지의 동안 ── 식물의 한살이

한살이

한해살이 ── 여러해살이

한 해 동안의 한살이 · · · · · 여러 해 반복하는 한살이

한살이

한 번의 살 이 를 거치는 것

식물이나 동물이 세상에 태어나서 죽을 때까지의 과정을 한살이라고 해. 태어나서 자라고, 자손을 남기고 죽는 모습은 식물이나 동물에 따라 다 다르지.

㉔ 거북은 한살이가 긴 동물 중 하나입니다.

사람의 한살이는 일생이지.

🔊 동물의 한살이는 어떨까?

동물의 한살이

동물의 알이나 새끼가 자라서 어미가 되면 다시 알이나 새끼를 낳지. 이렇게 동물이 태어나 성장하여 자손을 남기고 죽는 과정을 동물의 한살이라고 해. 동물의 종류에 따라 태어나는 방법, 자라는 모습, 자손을 남기는 방법이 서로 달라.

▲ 알을 낳는 동물의 한살이(닭)

🔊 식물의 한살이는 동물과 어떻게 다를까?

식물의 한살이

식물의 한살이

식물의 한살이는 식물의 씨가 싹 터서 자라고, 꽃이 피고, 열매를 맺어 다시 씨가 만들어지는 과정을 말해. 식물의 종류에 따라 자라는 모습이나 씨를 만드는 방법도 다르고 한살이 기간도 다르지.

예) 강낭콩은 <u>식물의 한살이</u> 기간이 짧습니다.

▲ 강낭콩의 한살이

🔊 식물의 한살이는 어떤 종류가 있지?

한해살이

한 해 동안 한 살 이를 거치는 것

한해살이 식물은 봄에 싹이 터서 자라 꽃이 피고 열매를 맺은 뒤, 겨울이면 일생을 마쳐. 이렇게 한 해 동안 사는 한해살이 식물에는 옥수수, 벼, 호박, 강낭콩 등이 있어.

예) 풀은 대부분 <u>한해살이</u> 식물입니다.

한해살이 식물의 한살이(벼)

 → →  → →

▲ 씨　　　▲ 싹이 틈.　　▲ 잎과 줄기가 자람.　　▲ 꽃이 핌.　　▲ 열매를 맺어 씨를 만듦.

🔊 여러 해를 사는 것은?

여러해살이

여 러 해 동안 한 살 이를 반복하는 것

여러해살이 식물은 겨울 동안에도 죽지 않고 살아남아. 적당한 크기로 자라면 꽃이 피고 열매를 맺는 것을 해마다 반복하지. 여러해살이 식물에는 감나무, 개나리, 사과나무, 무궁화 등이 있어.

예) 나무는 대부분 <u>여러해살이</u> 식물입니다.

▲ 해마다 열매를 맺는 감나무

4
주

1 다음 친구는 무엇에 대해 이야기하고 있습니까?·····················(   )

식물이나 동물이 세상에 태어나서 죽을 때까지의 과정을 말해.

① 살이   ② 번식

③ 한살이   ④ 두살이

⑤ 생태계

2 다음 강낭콩의 한살이를 보고 ㉠과 ㉡에 들어갈 말을 각각 쓰시오.

▲ 씨   ▲ ㉠ 이/가 틈.   ▲ 잎과 줄기가 자람.   ▲ 꽃이 피고 ㉡ 을/를 맺음.

(1) ㉠: (   )   (2) ㉡: (   )

3 다음은 한해살이 식물과 여러해살이 식물 중 무엇에 대한 것인지 구분하여 선을 이으시오.

| (1) 한 해 동안 한살이를 거치고 일생을 마침. | (2) 여러 해 동안 살면서 한살이의 일부를 반복함. | (3) 옥수수, 벼, 호박, 강낭콩 등이 있음. | (4) 감나무, 개나리, 사과나무 등이 있음. |

① 한해살이 식물   ② 여러해살이 식물

4 오늘 배운 어휘 세 가지를 가로, 세로에서 찾아 동그라미로 표시하시오.

한	가	위	○	여	대	한	민
해	오	♪	여	러	해	살	이
살	맞	백	린	분	☆	국	민
이	☆	내	년	♬	한	살	이

5 다음이 뜻하는 말을 글자 카드에서 찾아 쓰시오.

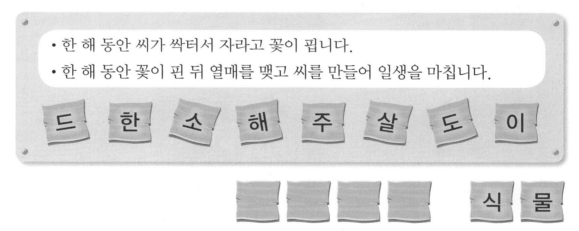

- 한 해 동안 씨가 싹터서 자라고 꽃이 핍니다.
- 한 해 동안 꽃이 핀 뒤 열매를 맺고 씨를 만들어 일생을 마칩니다.

드 한 소 해 주 살 도 이

☐ ☐ ☐ ☐   식 물

6 다음 단서를 보고 떠오르는 말을 쓰시오.

+ 살이 → ☐ 식물

出이 들어간 말

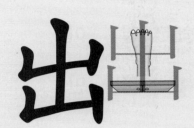

出 { 사람의 발이 문을 벗어나는 모습을 나타낸 글자로, 나가다, 떠나다를 뜻해요. }

날 출

급수 | 7급   부수 | 凵   획수 | 총 5획

QR을 보며 따라 써요!

날 출

🔍 한자 획순을 알아보아요.

山 → 나 → 出 → 出 → 出
① ② ③ ④ ⑤

한자를 쓰며 익혀요~!

출 **구** 밖으로 나갈 수 있는 통로.

◆ 서울역 1번 출구에서 친구와 만나기로 약속했다.

出	口
날 출	입 구

4
주

출 **발** 목적지를 향하여 나아감.

◆ 자동차가 출발하기 전에 안전띠를 매야 합니다.

出	發
날 출	필 발

출 **석** 어떤 자리에 나아가 참석함.

◆ 우리 반 친구들은 한 명도 빠지지 않고 모두 출석했다.

出	席
날 출	자리 석

入이 들어간 말

끝이 뾰족한 물건이 나무에 들어와 박히는 모습을 나타낸 글자로 **들어가다**를 뜻해요.

들 입

급수 | 7급   부수 | 入   획수 | 총 2획

들 입

QR을 보며 따라 써요!

🔍 한자 획순을 알아보아요.

 구 들어가는 통로.

○ 마을 입구에는 커다란 나무가 있다.

한자를 쓰며 익혀요~!

| 들 입 | 입 구 |

4 주

 학 공부하기 위해 학교에 들어감.

○ 동생이 초등학교에 입학했습니다.

| 들 입 | 배울 학 |

가 어떤 모임에 들어감.

○ 친구와 함께 교내 독서 동아리에 가입했다.

| 더할 가 | 들 입 |

1 다음 낱말에 공통으로 들어가는 '출' 자의 뜻은 어느 것입니까? ·····················(   )

> 출 석   출 생

① 앉다   ② 서다   ③ 나가다   ④ 달리다   ⑤ 들어오다

2 다음 밑줄 그은 한자어의 음을 쓰시오.

(1) 부모님께서 <u>入學</u> 선물을 사 주셨습니다. ···→ (   )

(2) 열차의 <u>出發</u> 시간과 도착 시간을 알아보았다. ···→ (   )

3 보기 와 같이 다음 한자어의 음을 쓰시오.

> **보기**
>
> 태어난 날 <u>生日</u> ···→ | 생 | 일 |

(1) 들어가는 곳 <u>入口</u> ···→ ☐ 구   (2) 나가는 곳 <u>出口</u> ···→ ☐ 구

4 힌트 를 보고 다음 빈칸에 들어갈 알맞은 글자를 써넣으시오.

	학
구	

> **힌트**
> • ☐구 : 들어가는 곳
> • ☐학 : 학생이 되어 학교에 들어감.

5 다음 뜻을 가진 낱말은 어느 것입니까? ·······································(   )

> 뜻 목적지를 향해 나아감.

① 입학   ② 출석   ③ 입구   ④ 출발   ⑤ 가입

6 다음 밑줄 그은 한자어를 보기 에서 찾아 번호를 쓰시오.

> 보기
>
> ① 入口   ② 出席   ③ 出發   ④ 入學

(1) 박물관 <u>입구</u>에 많은 학생들이 모여 있다. ···→ (   )

(2) 오늘 짝은 감기에 걸려 <u>출석</u>하지 못했습니다. ···→ (   )

7 다음 빈칸에 들어갈 알맞은 낱말을 보기 에서 찾아 쓰시오.

> 보기
>
> 출구   가입   출발

(1) 늦게 ◯◯ 해서 지각을 했다.

(2) 놀이공원의 ◯◯ 를 찾지 못해 한참 헤맸다.

(3) 정보를 얻기 위해 인터넷 카페에 ◯◯ 했다.

8 다음 뜻을 가진 '입구'를 한자로 쓰시오.

> 출입
> • 뜻 : 들어가는 통로.   ➡

4
주

누구나 100점 TEST

1 다음 먹거리에 어울리는 맛 표현을 고르시오.

<보기>
| ㉠ 달콤하다 | ㉡ 얼큰하다 |
| ㉢ 매콤하다 | ㉣ 다디달다 |

(1) 떡볶이 : (,   )

(2) 아이스크림 : (,   )

2 다음 중 높임말이 <u>아닌</u> 것은 어느 것입니까? ·········· (   )

① 뵙다   ② 드리다

③ 데려가다   ④ 주무시다

⑤ 여쭈어보다

3 바르게 쓴 문장을 골라 ○표 하시오.

(1) 강물이 반짝반짝 빛나고 있다.
(   )

(2) 빗으로 강아지의 털을 빗어 주었다.
(   )

(3) 간절한 바램을 담아 소원을 빌었다.
(   )

4 빈칸에 들어갈 알맞은 맛 표현을 쓰시오.

레모네이드 만드는 법

1. 레몬과 얼음, 사이다와 유리병을 준비해 주세요.
2. 유리병에 얼음을 담고 레몬즙을 짜 주세요.
3. 마지막으로 사이다를 병에 넣어 주세요.
4. 달콤하고 ○○한 레모네이드 완성!

(   )

5 다음 빈칸에 들어갈 알맞은 말은 무엇입니까? ·········· (   )

해마다 열매를 맺는 감나무는 [   ] 식물이다.

① 살이   ② 두살이

③ 생태계   ④ 한해살이

⑤ 여러해살이

6 밑줄 그은 낱말을 바르게 고쳐 쓰시오.

(1) 동생의 <u>바램</u>대로 눈이 펑펑 내렸다.

→ ☐☐

(2) 윗어른께 세배를 드렸다.

→ ☐☐☐

7 아이들이 출발 신호에 맞춰 경기를 시작했습니다. '출발'을 바르게 쓴 것은 무엇입니까?

(   )

① 入口   ② 出席
③ 出發   ④ 入學
⑤ 出入

8 다음 뜻에 알맞은 낱말을 보기 에서 찾아 쓰시오.

보기

들어내다   드러내다

(1) 물건을 들어서 밖으로 옮기다.

(   )

(2) 가려 있거나 보이지 않던 것을 보이게 하다.

(   )

9 다음에서 설명하는 식물의 한살이는 어느 것입니까?

(1) 꽃이 피고 열매를 맺는 것을 해마다 반복함.

(한해살이 / 여러해살이)

(2) 봄에 싹이 터서 자라 꽃이 피고 열매를 맺은 뒤, 겨울에 일생을 마침.

(한해살이 / 여러해살이)

10 다음 낱말의 밑줄 그은 글자에 쓰이는 한자를 선으로 이으시오.

(1) <u>입</u>구 •   •㉠ 出

(2) <u>출</u>구 •

(3) <u>출</u>석 •   •㉡ 入

4
주

속담 플러스

달면 삼키고 쓰면 뱉는다

 '달면 삼키고 쓰면 뱉는다'는 자기 이익이나 기분에 따라 옳고 그름을 따지는 것을 말해요. 동상이 착한 일을 한 것은 생각하지 않고 보석이 없어진 모습만을 보고 동상을 없애라는 사람들처럼 말이에요.

창의·융합·코딩 ②
사고 쑥쑥

1 다음 십자말풀이를 해 보세요.

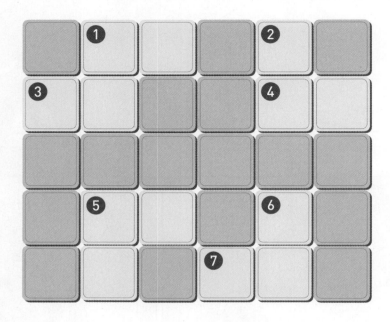

→가로

① 학생이 되어 공부하기 위해 학교에 들어감. 예 초등학교에 ○○합니다.

③ 밖으로 나갈 수 있는 곳. 예 불이 나면 ○○로 빨리 나가야 합니다.

④ 입 위아래에 붙어 있는 부드럽고 얇은 살. 예 앵두같이 빨간 ○○.

⑤ 목적지를 향하여 나아감. 예 ○○ 시각이 되었으니 서두르세요.

⑦ 소금과 같은 맛. 예 ○○을 나타내는 말에는 짭짤하다, 짭짜름하다 등이 있다.

↓세로

① 들어오는 곳. 예 주차장 ○○와 출구에서는 속도를 줄이세요.

② 어떤 모임에 들어감. 예 새로운 동아리에 ○○했다.

⑤ 어떤 자리에 참석함. 예 선생님께서 ○○을 부르셨다.

⑥ 설탕과 같은 맛. 예 ○○을 나타내는 말에는 달콤하다, 다디달다 등이 있다.

2 지수가 식물의 한살이를 인터넷으로 조사하고 있어요. 인터넷 검색 결과가 참으로 나왔을 때 ㉠에 들어갈 알맞은 내용은 무엇인지 보기 에서 찾아 쓰세요.

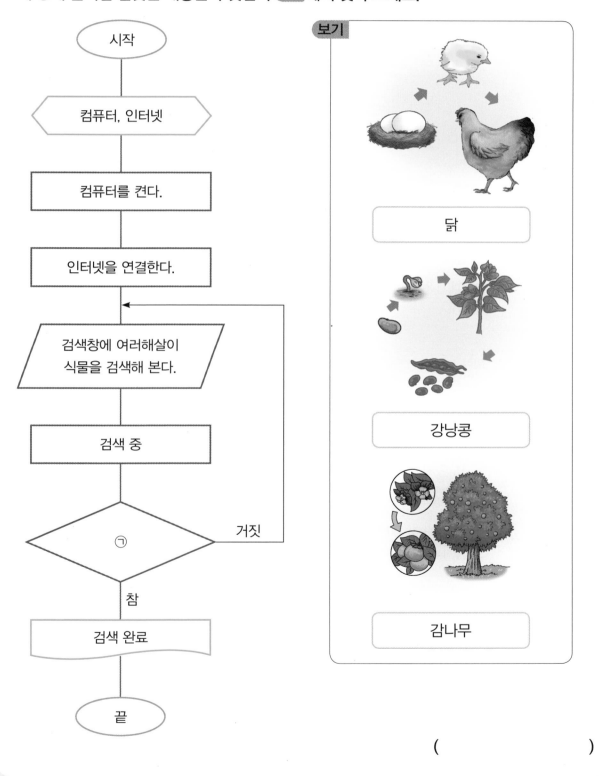

시작

컴퓨터, 인터넷

컴퓨터를 켠다.

인터넷을 연결한다.

검색창에 여러해살이 식물을 검색해 본다.

검색 중

㉠   거짓

참

검색 완료

끝

보기

닭

강낭콩

감나무

(   )

1~4주 동안 공부한
160여 개의 주요 어휘를
ㄱㄴㄷ 순서로 정리했어요!

매일매일 쌓이는 국어 기초력

똑똑한 하루
독해&어휘&글쓰기

공부 습관 형성

10분이면 하루치 공부를 마칠 수
있어서 아이들 스스로 쉽게
학습할 수 있도록 구성

국어 기초력 향상

어휘는 물론 독해에서 글쓰기까지
초등 국어 전 영역을 책임지는
완벽한 커리큘럼으로 국어 기초력 향상

재미있는 놀이 학습

꼭 필요한 상식과 함께
창의적 사고력 확장을 돕는
게임 형식의 구성으로 즐겁게 학습

쉽다! 재미있다! 똑똑하다! 똑똑한 하루 시리즈
예비초~6학년 각 A·B (14권)

기초
학습능력 강화
프로그램

똑 똑 한

하루
어휘

3~4학년

정답과 풀이

3단계 A

천재교육

정답과 해설
포인트 3가지

▶ 혼자서도 이해할 수 있는 친절한 어휘 풀이

▶ 배운 어휘는 물론 참고 어휘, 보충 어휘까지 자세한 해설

▶ 비슷한말, 반대말, 포함 어휘까지 관계 어휘를 풍부하게 제시

정답과 풀이

1주에는 무엇을 공부할까?

10~11쪽

1 (1) 그저께(그제) (2) 모레(내일모레)

2 (1) 방긋방긋 (2) 살금살금 (3) 살랑살랑

3 일기 예보

4 수

1일 주제 어휘

16~17쪽

1 (1) 이틀 (2) 사흘 (3) 나흘 (4) 닷새
2 ①, ③ **3** ③ **4** ②
5

1 하루, 이틀, 사흘, 나흘, 닷새, 엿새와 같이 날을 셀 수 있습니다.

2 '내일'의 다음 날은 '모레'입니다. '모레'와 같은 말로 '내일모레', '낼모레'가 있습니다.

3 '열닷새'는 15일이고, 15일은 다른 말로 '보름'이라고 합니다.

4 '네댓새'는 나흘 또는 닷새의 뜻으로 4일~5일을 뜻합니다.

5 '그제'는 이틀 전 날, '글피'는 3일 뒤의 날입니다. '엿새 또는 이레'를 '예니레'라고 하고 '그저께'는 '그제'와 같은 말입니다.

2일 교과 어휘 국어

22~23쪽

1 ⑤ **2** (1) 활짝 (2) 달그락 (3) 쏙쏙
3 꼬부랑 **4** ②
5 (1) 주렁주렁 (2) 부르릉

가	별	주	알	주
렁	회	문	렁	흑

난	홍	컥	부	빙
롱	씽	쪽	럭	르

(3) 데굴데굴 (4) 펄럭펄럭

방	누	데	철	굴
쏴	데	퍼	중	말
학	으	런	굴	삭

펄	깡	사	펄	대
뚱	럭	롱	럭	아
충	잉	갸	송	각

1 파도가 치는 소리나 모양을 흉내 내는 말로 어울리는 것은 '철썩철썩'입니다.

2 '으앙'은 아기가 우는 소리, '갸우뚱'은 고개를 기울이는 모양을 흉내 내는 말입니다.

3 노랫말에서 '꼬부랑'이라는 말이 반복되고 있습니다.

4 ①'커다란'은 '사과'를, ③'시원한'은 '바람'을, ④'졸졸'은 '따라갔다'를, ⑤'엎치락뒤치락'은 '뒤엉켜'를 꾸며 주는 말입니다.

3일 알쏭 어휘   28~29쪽

1 설거지   2 ④

3 (1) 거꾸로 (2) 설거지 (3) 졸이다가
    (4) 장조림 (5) 잘난 체

4 (1) 척 (2) 체 (3) 척 (4) 척

1 먹고 난 그릇을 씻는 일은 '설거지'가 바른 표현입니다.

2 '조리다'에서 온 '조림'은 고기나 생선, 채소 따위를 국물이 거의 없게 바짝 끓여 만든 음식을 뜻합니다. ④는 '마음을 졸였다'가 바른 표현입니다.

3 (4) '계란 장졸임'이 아니라 '계란 장조림'이 맞는 표현입니다.

(5) 잘난 것처럼 뻐기거나 으스대는 행동은 '잘난 채'가 아닌 '잘난 체'가 바른 표현입니다.

4 '채'는 이미 있는 상태 그대로를 뜻하는 말이고(예 옷을 입은 채 물에 들어가다) '체'는 그럴듯하게 꾸미는 거짓 태도나 모양을 뜻합니다. 이 '체'는 '척'과 바꾸어 쓸 수 있습니다.

> 예 그렇지 않은 체하다
> → 그렇지 않은 척하다.

청개구리는 엄마 말을 못 들은 체하였습니다.
→ 청개구리는 엄마 말을 못 들은 척하였습니다.

4일 교과 어휘 [사회]   34~35쪽

1 ❶ 날씨 ❷ 예측   2 기상청
3 (1) - ①, (2) - ②
4 (1) ○ (2) ○ (3) ×
5 강우량, 기상청, 일기예보, 강수량, 날씨

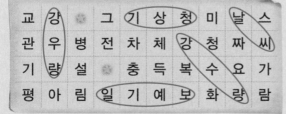

교	강	❀	그	기	상	청	미	날	스
관	우	병	전	차	체	강	청	짜	씨
기	량	설	❀	충	득	복	수	요	가
평	아	림	일	기	예	보	화	량	람

6 강수

| 수 | 지 | 계 | 강 | 일 | 구 | 조 | 해 | 본 | 표 |

7 기상청

1 날씨의 변화를 예측하여 미리 알리는 일을 '일기 예보'라고 합니다.

3 '강설량'은 '눈의 양'을 뜻하고, '강우량'은 '비의 양'을 뜻합니다.

4 측우기는 강수량(비, 눈, 우박 등의 총량)이 아닌 강우량(비의 양)을 측정하기 위해 발명되었습니다.

7 날씨에서 '기상'을, 건물 그림에서 '관청'을 떠올려 '기상청'을 쓸 수 있습니다.

 +

날씨 = 일기 = 기상   기관 = 관청

1 ②   2 ⑤   3 수학

4

	냉	
온	수	

5

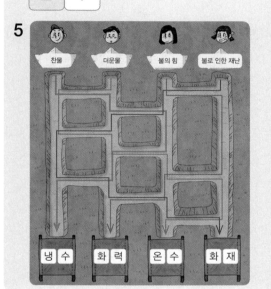

찬물   더운물   불의 힘   불로 인한 재난

냉 수   화 력   온 수   화 재

---

1 '화재', '화력', '화산'에는 모두 불을 뜻하는 火(불 화) 자가 쓰입니다.

2 '불을 끄는 기구'는 '소화기'입니다. '소화기'의 '소화'는 '불을 끄다'라는 뜻입니다.

3 낱말의 뜻을 통해 낱말에 쓰인 '수'가 물을 뜻하는지 알 수 있습니다. '수학'은 '수와 관련된 연구를 하는 학문'이므로, '수학'의 '수' 자는 물이 아닌 숫자나 수를 뜻하는 한자가 쓰입니다.

4 냉수는 차가운 물, 찬물을 뜻하고 온수는 따뜻한 물, 더운물을 뜻합니다. '냉'은 차갑다는 뜻이고, '온'은 따뜻하다는 뜻입니다.

5 사다리를 타고 내려가서 뜻에 알맞은 한자어를 씁니다. 불로 인한 재난을 뜻하는 말은 '화재'입니다.

---

1 ③   2 대엿새   3 ④
4 (1) ⓒ (2) ⓒ (3) ⓒ   5 ④
6 보글보글   7 ②, ③   8 ④
9 ②   10 ②

1 오늘부터 다음 날을 순서대로 이으면 '내일 – 모레(내일모레) – 글피'가 됩니다.

2 사나흘은 3~4일, 네댓새는 4~5일, 대엿새는 5~6일, 예니레는 6~7일을 나타내는 말입니다.

3 '보름'은 열닷새 동안을 뜻하는 말입니다.

4 '짹짹'은 참새 소리를, '뭉게뭉게'는 구름이 일어나는 모양을, '살랑살랑'은 바람이 부드럽게 부는 모양을 흉내 내는 말입니다.

5 뒤에 오는 말을 자세하게 나타내어 주는 말이 꾸며 주는 말입니다.

6 물이 끓는 소리를 흉내 내는 말은 '보글보글'입니다.

7 '못 본 체', '못 본 척'과 같이 보고도 보지 않은 것처럼 했다는 뜻으로 쓸 수 있습니다.

8 강수량에는 비나 우박, 눈과 같이 하늘에서 내리는 모든 물의 양이 포함됩니다.

9 '거꾸로', '설거지', '잠이 덜 깬 채로', '마음을 졸였다'가 맞는 표현입니다.

10 불을 끄는 기구는 '소화기', 불로 인한 재난은 '화재'입니다.

1주 특강 사고 쑥쑥

1

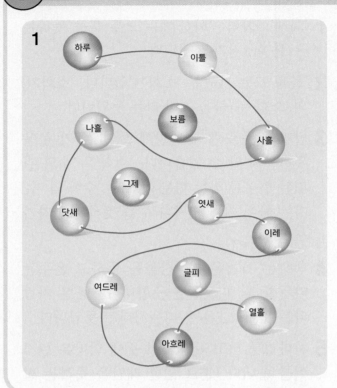

2 (1) **예** 깡충깡충(껑충껑충)
   (2) **예** 주룩주룩(조록조록)
   (3) **예** 방긋방긋(벙긋벙긋, 방글방글, 벙글벙글)

(1) 흉내 내는 말이고 소리를 흉내 내는 말은 아니므로 모양을 흉내 내는 말입니다. 모양을 흉내 내는 말 중 토끼와 관련된 말로 '깡충깡충'이나 '껑충껑충'을 떠올릴 수 있습니다.

(2) 반복되는 말이고 비가 내리는 소리를 흉내 내는 말로 ㅈ으로 시작하는 말은 '주룩주룩, 조록조록' 등이 있습니다.

(3) 아기의 웃는 모양을 흉내 내는 말로 '방글방글', '방긋방긋' 등을 떠올릴 수 있습니다.

1주 특강 논리 탄탄

1

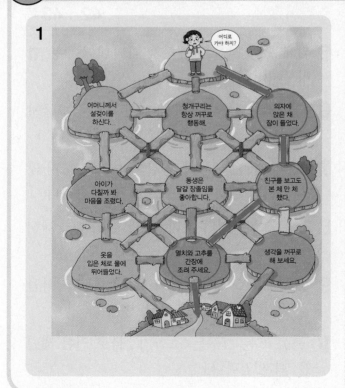

2

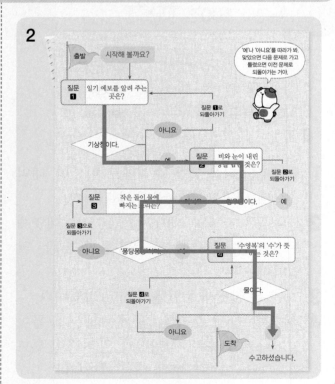

정답과 풀이

2주에는 무엇을 공부할까?

52~53쪽

1 (1) ③ (2) ① (3) ②　　　**2** <, <

3 (1) ① (2) ③ (3) ②　　　**4** (1) = (2) ↔

1일 주제 어휘

58~59쪽

1 (1) 소나기 (2) 장대비 (3) 안개비
2 ④　　　　　**3** (1) ① (2) ②
4 조록조록 < 주룩주룩 < 쭈룩쭈룩
5

❶이					❷장	화
❸보	슬	보	슬		대	
비			❹안	개	비	
		❺여				
	❻우	산		❼소	나	기
		비		풍		

1 갑자기 쏟아지다가 곧 그치는 비는 소나기, 장대처럼 굵게 내리는 비는 장대비입니다. 안개가 낀 것처럼 부옇게 보이는 비는 안개비입니다.

2 해가 떠 있는데 잠깐 내리다가 그치는 비를 여우비라고 합니다.

3 자꾸 비바람이 치는 소리는 '쏴쏴', 빗방울이 나뭇잎에 떨어지는 소리는 '토도독'입니다.

4 조록조록이 셋 중 가장 약한 비가 내리는 느낌을 주는 말입니다. 그다음으로 세게 비가 내리는 느낌을 주는 말은 주룩주룩입니다.

2일 교과 어휘 국어

64~65쪽

1 (1) 맑다 (2) 사람
2 (1) 동네 (2) 친구 (3) 아래쪽 (4) 넓다
3 (1) 📝 동생이 과자를 먹는다. (2) 📝 동생이 자전거를 탄다.　**4** ④　**5** (1) 문장 (2) 문단
6 (1)

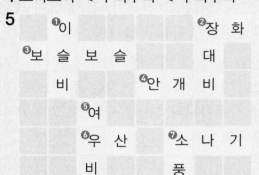

　(1) 포 비 반 ⓐ 상 / ⓜ 함 숫 대 ⓡ , 메아리
　(2) ⓘ 평 ⓢ 문 감 / 조 유 청 ⓟ 장 , 서점
　(3) 설 ⓣ 여 원 기 / 논 ⓐ 야 ⓓ 투 / 일 시 ⓞ 이 행 , 들어오다

1 책상, 연필, 동생은 명사이고, '맑다'는 형용사입니다.

2 마을과 비슷한말은 동네, 동무와 비슷한말은 친구입니다. 위쪽의 반대말은 아래쪽, 좁다의 반대말은 '넓다'입니다.

3 '동생이 과자를 먹는다.', '동생이 자전거를 탄다.' 등의 문장을 만들 수 있습니다.

4 문단은 문장이 모여 이루어지는 작은 글 토막입니다.

5 여러 문장이 모인 글 덩어리를 가리킨 부분은 문단에 해당합니다.

6 산울림과 비슷한말은 메아리, 책방과 비슷한말은 서점입니다.

3일 알쏭 어휘   70~71쪽

1 ④   2 ⑤
3 설레다, 설렘, 설레요
4 (1) 싸다 (2) 쌓다
5 ⑤   6 ④
7 (1) 겁쟁이 (2) 수다쟁이 (3) 구두장이
8 (1) 싸 (2) 쌓아 (3) 개구쟁이

1 '된장찌게'는 '된장찌개'로 고쳐야 알맞습니다.

2 '-쟁이'와 '-장이'를 알맞게 구별할 수 있는지 묻는 문제입니다. 대장쟁이는 '쇠를 달구어 연장 등을 만드는 사람'을 뜻하는 '대장장이'로 고쳐야 알맞습니다.

3 '설레다'로 써야 알맞은 표현이므로, '설렘', '설레요' 등으로 활용할 수 있습니다.

4 (1) 물건을 안에 넣고 보이지 않게 씌워 가리거나 둘러 만다는 뜻의 동사는 '싸다'입니다. (2) 여러 개의 물건을 겹겹이 포개어 얹어 놓는다는 뜻의 동사는 '쌓다'입니다.

5 '부대찌게'를 '부대찌개'로 고쳐 써야 합니다.

6 설레인다 → 설렌다, 설레임 → 설렘, 설레이지 → 설레지, 설레이게 → 설레게와 같이 고쳐야 알맞은 표현이 됩니다.

7 겁이 많은 사람을 겁쟁이, 몹시 말이 많은 사람을 수다쟁이라고 합니다.

8 (1) 남은 음식을 가져갈 때에는 '싸다'를 사용합니다. (2) 책을 포갠다는 뜻이므로 '쌓다'를 사용합니다. (3) 개구쟁이로 고쳐야 알맞습니다.

4일 교과 어휘 과학   76~77쪽

1 ③   2 공기
3 (1) 액체 (2) 고체 (3) 액체
4 기체   5 (1) 고체 (2) 액체 (3) 기체
6

1 일정한 모양이 있고 공간을 차지하는 것으로, 우리 눈에 보이고 만질 수 있는 모든 것들을 가리켜 '물체'라고 합니다.

2 공기는 구체적인 형태를 가지고 있지 않으므로 물체가 아닙니다.

3 액체는 일정한 형태를 가지지 않으며, 흐르는 성질을 갖고 있습니다. 고체는 딱딱하고 모양이 잘 바뀌지 않는 성질을 갖고 있습니다.

4 모양과 일정한 크기가 없는 상태의 물질로, 공기와 같이 어떤 공간에 가두면 꽉 채우려는 성질을 갖는 물질을 '기체'라고 합니다.

5 얼음은 물이 얼어서 고체 상태가 된 것입니다. 물은 액체이고, 물을 끓여 수증기가 된 것을 기체라고 합니다.

⑤일 한자 어휘

1 ③　　　2 ④　　　3 ④
4 해　　　5 (1) 산림 (2) 동해
6 (1) ⓒ (2) ⓒ　7 (1) 해 (2) 산
8 火山

1 운동이나 즐거움을 목적으로 산에 오르는 것을 등산이라고 합니다.

2 계산기에 들어간 산은 算(계산 산)입니다.

3 서해, 동해, 남해에 들어간 '해'는 모두 海(바다 해)이므로 '바다'를 뜻합니다.

4 배를 타고 바다 위를 다닌다는 뜻의 '항해'와 바다에서 나는 물건을 뜻하는 '해물'에 모두 海(바다 해)가 들어갑니다.

5 (1) 山(메 산)과 林(수풀 림)이 합쳐진 山林은 '산림'으로 읽습니다.
(2) 東(동녘 동)과 海(바다 해)가 합쳐진 東海는 '동해'라고 읽어야 합니다. 동해는 우리나라의 동쪽에 있는 바다를 뜻합니다.

6 해물은 海(바다 해)와 物(만물 물)이 합쳐진 한자어로, 海物이라고 씁니다. 등산은 登(오를 등)과 山(메 산)이 합쳐진 한자어로, 登山과 같이 씁니다.

7 서쪽 바다는 西海라고 쓰며, 서해라고 읽습니다. 名山은 명산이라고 읽습니다.

8 화산은 火(불 화)와 山(메 산)이 합쳐진 한자어입니다.

②주 누구나 100점 TEST

1 ③　　　　2 ②　　　　3 ⓒ
4 (1) ⓒ (2) ⓒ (3) ⓒ　　5 (1) ×
6 김치찌게 → 김치찌개　　7 ⑤
8 ⓒ　　　　9 ④　　　　10 ④

1 햇볕이 나 있는 동안 잠깐만 내리고 그치는 비를 여우비라고 합니다.

2 '철철'은 물이 넘치는 소리나 모양을 흉내 내는 말입니다.

3 아주 가늘게 내리는 비를 이슬비라고 합니다. 장대처럼 굵은 비는 장대비, 장마철에 내리는 비는 장맛비라고 합니다.

4 책 등은 이름을 나타내는 낱말로, '명사'라고 합니다. 아름답다 등은 형태나 상태를 나타내는 낱말로, '형용사'라고 합니다.

5 마을과 동네는 뜻이 비슷한 낱말입니다. 쉽다와 어렵다, 가볍다와 무겁다는 뜻이 서로 반대인 낱말입니다.

6 김치찌게는 틀린 표현이므로 김치찌개로 고쳐 써야 알맞습니다.

7 고집장이는 고집쟁이로, 설레였습니다는 설레었습니다로, 설레임은 설렘으로, 도배쟁이는 도배장이로 고쳐야 합니다.

8 공기는 모양도 없고 일정한 크기도 없는 기체이므로, 풍선을 꽉 채우고 있습니다.

9 서해, 동해, 남해에 들어간 '해' 자는 모두 海(바다 해)입니다. ①은 水(물 수) ②는 木(나무 목) ③은 山(메 산) ⑤는 島(섬 도)입니다.

10 등산, 산림, 화산, 산신령에 모두 山(메 산)이 들어갈 수 있습니다.

2주 특강 사고 쑥쑥

1

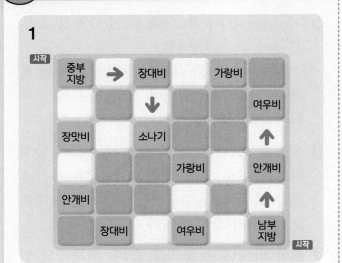

1 중부 지방은 '장대비'가 내리다가 '소나기'로 바뀐다고 하였고, 남부 지방은 '안개비'가 내리다가 '여우비'가 내린다고 예보하였습니다.

2

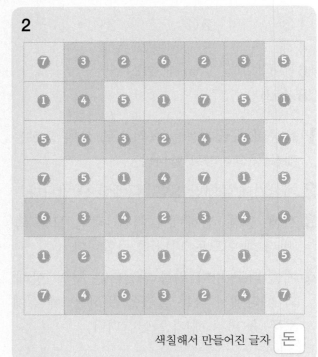

색칠해서 만들어진 글자 돈

2주 특강 논리 탄탄

1

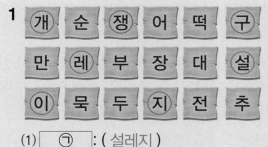

(1) ㉠ : (설레지)
(2) ㉡ : (개구쟁이)

1 (1) '설레지'가 알맞은 표현입니다.
　(2) '개구쟁이'가 알맞은 표현입니다.

2

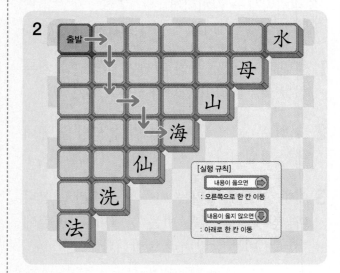

2 (1) 도착한 칸의 한자: 海

　(2) 뜻: 바다　　(3) 음: 해

3주 정답과 풀이

3주에는 무엇을 공부할까?

94~95쪽

1 마음
2 (1) ○
3 유산
4 안쪽

1일 주제 어휘

100~101쪽

1 ① **2** 복숭아뼈, 복사뼈
3 (1) 정강이 (2) 목덜미 **4** 오금 **5** ③
6

1 '팔뒤꿈치'는 틀린 표현이므로 '팔꿈치'라고 써야 합니다.

2 발목 부근에 안팎으로 둥글게 나온 뼈는 '복숭아뼈' 또는 '복사뼈'라고 합니다.

3 무릎 아래에서 앞 뼈가 있는 부분은 '정강이'이고, 목의 뒤쪽 부분과 그 아래 근처는 '목덜미'입니다.

4 저지른 잘못이 들통날까 봐 마음을 졸이는 것을 '오금이 저리다'라고 합니다.

5 믿고 있던 일이 어긋나 오히려 해를 입게 되는 상황에 알맞은 속담은 '믿는 도끼에 발등 찍힌다'입니다.

6 ❶~❺의 차례대로 '발등, 겨드랑이, 종아리, 하반신, 손목'에 해당하는 뜻입니다.

2일 교과 어휘 국어

106~107쪽

1 ② **2** (1) ② (2) ① (3) ④ **3** ④
4 (1) 〔 , 〕 〔 ? 〕 (2) 〔 , 〕 〔 , 〕 〔 . 〕
5 느낌표 **6** (1) 물음표 (2) 큰따옴표
7

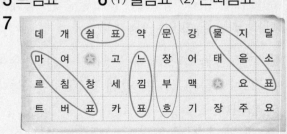

1 음표는 '악보에서, 음의 장단과 고저를 나타내는 기호.'로, 문장 부호가 아닙니다.

2 (1)은 마침표, (2)는 쉼표, (3)은 큰따옴표입니다.

3 작은따옴표는 마음속으로 한 말을 나타낼 때 씁니다.

5 빨간색 문장 부호(!)는 느낌표입니다.

6 (1)은 물음표, (2)는 큰따옴표입니다.

7 쉼표, 마침표, 물음표, 느낌표를 찾아봅니다.

정답과 풀이 / **9**

3일 알쏭 어휘

> **1** ② **2** © **3** (2) ○
> **4** ③ **5** 나는 **6** 메고(○)
> **7** (1) 썩이지 (2) 할게

1 '날다'의 '날' 뒤에 '는'이 오면 '날'의 받침 'ㄹ'을 빼고 '나는'으로 써야 합니다.

2 어떤 일을 하겠다는 약속이나 의지를 나타낼 때에는 '-ㄹ게'라는 말을 써야 합니다. 그러므로 '할께(요)'가 아니라 '할게(요)'라고 씁니다.

3 풀어지지 않도록 끈이나 줄의 두 끝을 묶는다는 뜻으로는 '매다'를 쓰고, 물건을 어깨나 등에 올려놓는다는 뜻으로는 '메다'를 씁니다.

4 걱정으로 마음을 괴롭히고 아프게 만들면 '썩이다'를 쓰고, 나쁜 냄새가 나도록 음식물을 상하게 하면 '썩히다'를 씁니다. ①은 '속을 썩였다.', ②는 '생선을 썩히는 냄새', ④는 '속을 썩이지 말았으면', ⑤는 '냉장고에서 썩히지 말고'로 써야 바른 쓰임이 됩니다.

5 '날다'의 '날' 뒤에 '는'을 써야 하므로 '날'의 받침 'ㄹ'을 빼고 '나는'으로 씁니다.

6 배낭을 등에 얹는 상황이므로 물건을 어깨나 등에 올려놓는다는 뜻을 가진 낱말인 '메고'가 알맞습니다.

7 (1)은 걱정으로 마음을 괴롭히고 아프게 만든다는 뜻이므로 '썩이지'로 고쳐 쓰고, (2)는 어떤 일을 하겠다는 약속이나 의지를 나타내므로 '할게'로 고쳐 씁니다.

4일 교과 어휘 사회

> **1** ③ **2** 문화유산
> **3** (1) ㉠, © (2) ©, ㉣
> **4**

			❶무				
			궁			❸풍	
		❷❷문	화	유	산	물	
		화				놀	
				❹사	물	❺놀	이
				❻유		이	
	❼삼	각	형			터	

1 문화는 형태가 있는 것만 가리키는 것이 아닙니다. 예술이나 기술과 같이 형태가 없는 것도 문화에 해당됩니다. 이처럼 형태가 없는 문화유산을 무형 문화유산이라고 합니다.

2 문화 중에서 다음 세대에게 물려줄 만한 가치가 있는 것을 문화유산이라고 합니다.

3 석굴암과 고인돌 유적은 형태가 있는 유형 문화유산이고, 풍물놀이와 탈춤은 형태가 없는 무형 문화유산입니다.

4 ❺ 미끄럼틀이나 그네 등의 기구를 갖추어 두고 아이들이 놀 수 있게 만든 곳은 '놀이터'입니다.
❼ 세 개의 선과 세 개의 각으로 이루어진 도형은 '삼각형'입니다.

1 ③	2 ②	3 내
4 ⑤	5 ①	6 실외
7 (1) ② (2) ①	8 ④	

1 집이나 건물, 방의 안을 뜻하는 낱말은 '실내'입니다.

2 '내부'라는 낱말에서 '내'는 어떤 것의 안쪽을 가리킵니다.

3 자동차나 기차, 버스의 안은 '차내', 어떤 것의 안쪽은 '내부'이므로 빈칸에 들어갈 글자로 알맞은 것은 '내'입니다.

4 '차내'를 한자로 표기하면 '車內'입니다. ①은 '내부', ②는 '실내', ③은 '실외', ④는 '해외'입니다.

5 밑줄 그은 한자어를 우리말로 표기하면 '실외'입니다.

6 '실내'와 반대되는 뜻을 가진 낱말은 '실외'입니다.

7 (1)의 '外交'는 '외교'라고 읽고, (2)의 '海外'는 '해외'라고 읽습니다.

8 빈칸에 공통으로 들어갈 글자는 '바깥'을 뜻하는 '외'입니다.

1 ①	2 ③	3 ②
4 (1) ③ (2) ① (3) ②		5 ③
6 ②	7 (1) ② (2) ①	
8 문화유산	9 (1) ㉠ (2) ㉤	10 ④

1 ①은 머리 맨 위의 가운데를 가리키고 있으므로 '정강이'가 아니라 '정수리'입니다. '정강이'는 무릎 아래에서 앞 뼈가 있는 부분을 가리키는 낱말입니다.

2 '오금이 저리다'는 저지른 잘못이 들통날까 봐 마음을 졸이는 상황에 쓰이는 말이므로 빈칸에는 '오금'이 들어가는 것이 알맞습니다.

3 믿었던 일이 어긋나거나 믿고 있던 사람이 배반을 하여 오히려 해를 입게 되는 경우에 알맞은 속담은 '믿는 도끼에 발등 찍힌다'입니다.

4 (1)의 이름은 쉼표, (2)는 물음표, (3)은 느낌표입니다.

5 큰따옴표는 실제 대화를 나타낼 때 문장의 시작 부분과 끝 부분에 씁니다. ①은 물음표에 대한 설명, ②는 쉼표에 대한 설명, ④는 느낌표에 대한 설명, ⑤는 작은따옴표에 대한 설명입니다.

6 음식물을 상하게 한다는 뜻이므로 '썩혀서'가 들어가야 합니다.

7 신발 끈을 묶는 것은 '매다'라고 하고, 가방을 어깨에 얹는 것은 '메다'라고 합니다.

8 조상 대대로 전해 내려온 문화 중에서 다음 세대에게 물려줄 만한 가치가 있는 것을 '문화유산'이라고 합니다.

9 (1)의 석굴암은 형태가 있으므로 '유형 문화유산', (2)의 탈춤은 형태가 없으므로 '무형 문화유산'에 해당합니다.

10 빈칸에는 어떤 것의 '바깥'을 뜻하는 '외(外)'를 넣어야 합니다.

3주 특강 사고 쑥쑥

1
- 우리 몸에서 머리 맨 위의 가운데 부분을 '정수리'라고 합니다.
- 목덜미, 어깨, 겨드랑이 등 허리 윗부분을 ① (이)라고 합니다.
- 무릎 아래에서 앞 뼈가 있는 부분을 ② (이)라고 합니다.
- 무릎 뒤 오목한 안쪽 부분을 ③ (이)이라고 합니다.

코딩 명령어
→ 오른쪽으로 한 칸 이동   ← 왼쪽으로 한 칸 이동
↑ 위쪽으로 한 칸 이동   ↓ 아래쪽으로 한 칸 이동

코딩 규칙
- '정수리' 칸에서 시작해서 가장 가까운 길로만 움직여야 합니다.
- 한 번 지나온 길은 다시 갈 수 없습니다.

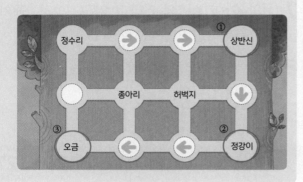

2

4주에는 무엇을 공부할까?

134~135쪽

1 달콤하다

2 (1) 여쭈어볼 (2) 높임말

3 빛나고

4 여러해

1일 주제 어휘

140~141쪽

1 (1) 새콤하다 (2) 시큼하다 (3) 알싸하다
2 ②　　3 ⑤　　4 (1) 예 새콤하다
(2) 예 짭조름하다 (3) 예 다디달다
5
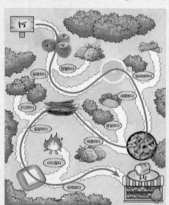

1 (2) 모두 쓴맛과 관련된 표현이지만 '시큼하다'는 신맛입니다.

2 '간간하다', '짭조름하다', '짭짤하다'는 모두 짠맛과 관련된 표현입니다.

3 덜 익은 감은 '떫은맛'입니다.

4 귤은 새콤하고, 된장국은 짭짤합니다. 초콜릿 아이스크림은 달짝지근합니다.

5 사과는 달콤하고, 오렌지는 새콤합니다. 떡볶이는 매콤하고, 고추는 알알합니다. 두부는 담백합니다.

2일 교과 어휘 국어

146~147쪽

1 ①　　2 (1) 예 (2) 높　　3 ③
4 (1) 계시다 (2) 뵙다 (3) 여쭈어보다 (4) 드리다
5

(1) 어머니께서 거실에서 책을 읽고 계 신 다 .
드 주 리 이 려 고
(2) 이 양말을 삼촌께 드 리 려 고 샀어요.
보 뵈 러 고 만 라
(3) 추석을 맞아 할머니를 뵈 러 갔다.
무 신 잔 다 자 주
(4) 할아버지께서 거실에서 주 무 신 다 .

1 높임말은 웃어른께 하는 말입니다.

2 가깝고 편한 사이끼리 하는 말이 예사말입니다.

3 어머니께는 "이 책이 재미있을 것 같아요(같습니다)."와 같이 높임말을 합니다.

4 웃어른께는 '계시다', '뵙다'를 씁니다. 웃어른께는 '여쭈어보다', '드리다'를 씁니다.

5 어머니께는 '계신다'를 씁니다. 삼촌께는 '드리려고'를 씁니다. 할머니께는 '뵈러'를 씁니다. 할아버지께는 '주무신다'를 씁니다.

③일 알쏭 어휘

152～153쪽

1 ⑤
2 (1) ② (2) ①
3 ②
4 바람
5 ⑤
6 (1) 빛 (2) 빗 (3) 빚

1 크리스마스 장식들이 반짝반짝 '빛'나고 있다고 써야 합니다.

2 '어른'은 위와 아래를 구분할 수 없으므로 '웃어른'이라고 해야 합니다. 위아래를 나눌 수 있는 '사람' 앞에 '윗'을 붙일 수 있습니다.

3 마음을 '드러냈다'고 쓰는 것이 맞습니다. '어른'은 위와 아래를 구분할 수 없으므로 '웃어른'이라고 해야 합니다.

4 '바라다'가 바른 표현이므로 '바람'이 맞는 말입니다. '바램'은 '바람'의 잘못된 표현입니다.

5 '윗집', '윗마을', '윗도리', '윗입술'은 '아랫'이 붙는 반대말이 있습니다. 본래의 값에 덧붙이는 돈을 '웃돈'이라고 합니다.

6 (1) 창문으로 들어오는 것은 '빛'입니다. '빛'은 눈이 물체를 볼 수 있게 하는 밝음을 말합니다.

(2) '빗'은 머리카락을 빗을 때 쓰는 도구입니다. 따라서 '빗으로 좀 빗어.'가 맞는 표현입니다.

(3) '빚'은 남에게 갚아야 할 돈이나 은혜를 말합니다. 따라서 '말 한마디에 천 냥 빚도 갚는다'가 맞습니다. 모두 소리는 같지만 받침에 따라 전혀 다른 뜻으로 쓰이는 낱말이니 주의해서 써야 합니다.

④일 교과 어휘 과학

158～159쪽

1 ③
2 (1) 싹 (2) 열매
3 (1) – ①, (2) – ②, (3) – ①, (4) – ②
4 한해살이, 여러해살이, 한살이

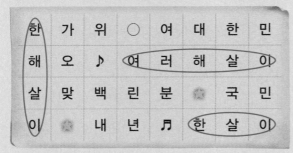

5 한 해 살 이 식물

6 여러해살이

1 식물이나 동물이 나고 자라서 죽을 때까지의 과정을 한살이라고 합니다.

2 강낭콩은 한해살이 식물로, 싹이 트고 잎과 줄기가 자란 뒤 꽃이 피고 열매를 맺습니다.

3 옥수수, 벼, 강낭콩과 같은 대부분의 풀은 한 해 동안 한살이를 거치는 한해살이 식물입니다. 감나무, 사과나무와 같이 대부분의 나무는 여러 해를 살고 해마다 꽃과 열매를 맺는 여러해살이 식물입니다.

4 한살이, 여러해살이, 한해살이를 찾을 수 있습니다.

5 한 해 동안 씨가 싹터서 자라고 꽃이 피는 것은 한해살이 식물입니다.

6 여러해살이 식물을 떠올릴 수 있습니다.

1 ③   2 (1) 입학 (2) 출발
3 (1) 입 (2) 출   4 입
5 ④   6 (1) ① (2) ②
7 (1) 출발 (2) 출구 (3) 가입
8 入口

1 '출석'과 '출생'에는 모두 나가다, 떠나다를 뜻하는 出(날 출) 자가 쓰입니다.

2 '入學'은 공부하기 위해 학교에 들어감을 뜻하는 '입학'입니다. '出發'은 목적지를 향하여 나아감을 뜻하는 '출발'입니다.

3 '入口'는 들어가는 곳을 뜻하는 '입구'입니다. '出口'는 나가는 곳을 뜻하는 '출구'입니다.

4 입구는 들어가는 곳이라는 뜻이고, 입학은

학생이 되어 학교에 들어간다는 뜻입니다.

5 '출발'은 목적지를 향해 나아간다는 뜻입니다.

6 (1) 들어가는 통로를 뜻하는 '입구'를 한자로 표기하면 '入口'입니다.
(2) 어떤 자리에 나아가 참석함을 뜻하는 '출석'을 한자로 표기하면 '出席'입니다.

7 (1) 늦게 '출발'해서 지각을 했다는 표현이 알맞습니다.
(2) 놀이공원의 '출구'를 찾지 못했다는 표현이 알맞습니다.
(3) 정보를 얻기 위해 인터넷 카페에 '가입'했다는 표현이 알맞습니다.

8 들어가는 통로를 뜻하는 '입구'를 한자로 표기하면 '入口'입니다.

1 (1) ㉡, ㉢ (2) ㉠, ㉣
2 ③   3 (1) ○
4 새큼 / 새콤 / 시큼   5 ⑤
6 (1) 바람 (2) 웃어른   7 ③
8 (1) 들어내다 (2) 드러내다
9 (1) 여러해살이 (2) 한해살이
10 (1) - ㉡, (2) - ㉠, (3) - ㉠

1 떡볶이는 얼큰하고 매콤합니다. 아이스크림은 다디달고 달콤합니다.

2 '데려가다'는 높임말이 아닙니다.

3 '빗'으로 털을 빗어 주었다고 쓰는 것이 맞습니다. '바람'이 맞는 표현입니다.

4 레모네이드는 새콤합니다. '신맛'을 표현하는 말로는 시큼하다, 새큼하다가 있습니다.

5 감나무는 여러해살이 식물입니다.

6 '바라다'가 바른 표현이므로 '바람'이 맞는 말입니다. '웃어른'이라고 해야 합니다.

7 목적지를 향하여 나아감을 뜻하는 '출발'을 한자로 표기하면 '出發'입니다.

8 '드러내다'는 보이지 않던 것이 보일 때 쓰는 말입니다. '들어내다'는 물건을 들어서 밖으로 옮기는 것을 말합니다.

9 (1) 여러해살이 식물입니다.
(2) 봄에 싹이 터서 자라 꽃이 피고 열매를 맺은 뒤, 겨울에 일생을 마치는 것은 한해살이 식물입니다.

10 '출구'와 '출석'은 出(날 출) 자가 쓰입니다. '입구'는 入(들 입) 자가 쓰입니다.

4주 특강 사고 쑥쑥

1

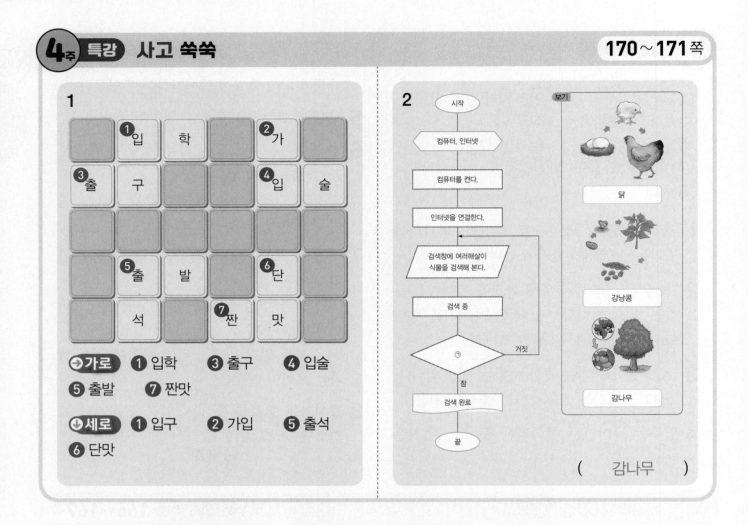

	①입	학		②가	
③출	구		④입	술
⑤출	발		⑥단	
	석	⑦짠	맛	

➡️가로 ① 입학 ③ 출구 ④ 입술
⑤ 출발 ⑦ 짠맛

⬇️세로 ① 입구 ② 가입 ⑤ 출석
⑥ 단맛

2

시작
컴퓨터, 인터넷
컴퓨터를 켠다.
인터넷을 연결한다.
검색창에 여러해살이
식물을 검색해 본다.
검색 중
⑦ — 거짓
참
검색 완료
끝

보기
닭
강낭콩
감나무

(감나무)

기초 학습능력 강화 프로그램

매일 조금씩 **공부력** UP!

똑똑한 하루
시리즈

쉽다!
하루 10분, 주 5일 완성의
커리큘럼으로 쉽고 재미있게
초등 기초 학습능력 향상!

재미있다!
교과서는 물론, 생활 속에서 쉽게
접할 수 있는 다양한 소재를 활용해
아이 스스로도 재미있는 학습!

똑똑하다!
초등학생에게 꼭 필요한 상식과 함께
학습 만화, 게임, 퍼즐 등을 통한
'비주얼 학습'으로 스마트한 공부 시작!

더 새롭게! 더 다양하게! 전과목 시리즈로 돌아온 '똑똑한 하루'
*순차 출시 예정

국어 (예비초 ~ 초6)

예비초~초6 각 A·B
교재별 14권

예비초: 예비초 A·B
초1~초6: 1A~4C
14권

영어 (예비초 ~ 초6)

초3~초6 Level 1A~4B
8권

Starter A·B
1A~3B
8권

수학 (예비초 ~ 초6)

초1~초6 1·2학기
12권

예비초~초6 각 A·B
14권

초1~초6 각 A·B
12권

봄·여름
가을·겨울 (초1~초2) 안전 (초1~초2)

봄·여름·가을·겨울
2권 / 8권

초1~초2
2권

사회·과학 (초3~ 초6)

학기별 구성
사회·과학 각 8권

정답은
이안에
있어!